IGREJA SINFÔNICA

Um chamado radical pela unidade dos cristãos

CB124395

Pedro Lucas Dulci (org.)

Carlos Henrique de Paula
Guilherme de Carvalho
Guilherme Franco
Igor Miguel
Marcos Almeida
Rafael Balestra Cassiano

mundocristão
São Paulo

Copyright © 2016 por Pedro Lucas Dulci (org.), Carlos Henrique de Paula, Guilherme de Carvalho, Guilherme Franco, Igor Miguel, Marcos Almeida e Rafael Balestra Cassiano.
Publicado por Editora Mundo Cristão.

Os textos de referência bíblica foram extraídos da *Nova Versão Internacional* (NVI), da Biblica Inc., salvo indicação específica. Eventuais destaques nos textos bíblicos e citações em geral referem-se a grifos dos autores.

Todos os direitos reservados e protegidos pela Lei 9.610, de 19/02/1998.

É expressamente proibida a reprodução total ou parcial deste livro, por quaisquer meios (eletrônicos, mecânicos, fotográficos, gravação e outros), sem prévia autorização, por escrito, da editora.

CIP-Brasil. Catalogação na Publicação
Sindicato Nacional dos Editores de Livros, RJ

I39

Igreja sinfônica: um chamado radical pela unidade dos cristãos / Pedro Lucas Dulci [org.]... [et al.]. — 1. ed. — São Paulo: Mundo Cristão, 2016.
128 p.; 21 cm

1. Vida cristã. 2. Fé. 3. Igreja católica. I. Paula, Carlos Henrique de II. Título.

16-33011 CDD: 248.4
CDU: 27-584

Categoria: Igreja

Publicado no Brasil com todos os direitos reservados por:
Editora Mundo Cristão
Rua Antônio Carlos Tacconi, 79, São Paulo, SP, Brasil, CEP 04810-020
Telefone: (11) 2127-4147
www.mundocristao.com.br

1ª edição: julho de 2016

Esta obra nos mostra como a Igreja pode estar unida em diversas dimensões. Em tempos líquidos, fluidos e velozes, este livro é um alerta para os aspectos vitais da missão, sobretudo o desafio da unidade. Jamais nos esqueçamos de que somos ovelhas do mesmo aprisco, pedras do mesmo edifício, irmãos da mesma família, membros do mesmo Corpo.

Davi Lago
Pastor, mestre em direito e escritor

Igreja sinfônica nos representa e fala da nossa identidade. É um livro desafiador, confrontante, confortante e esperançoso. Devemos sempre lutar pela harmonia da Igreja, em fé, humildade, mansidão, paciência e amor. Por isso, recomendo esta leitura, que gera em nós o equilíbrio necessário para viver e promover a harmonia.

Daniel Martins Coelho
Pastor, teólogo e pós-graduado em gestão de projetos sociais

Quando os instrumentos tocam a mesma sinfonia, todos sons e vozes tornam-se belos! Frases melódicas que, isoladas, soam tristes ou feias, tornam-se belíssimas quando tocadas em conjunto. A beleza da Igreja surge sempre que cada voz e som desiste de fazer carreira solo e se une para glorificar Jesus. *Igreja sinfônica* não é apenas um discurso, mas uma belíssima sinfonia sobre a unidade da Igreja, executada pela virtuosa orquestra do Movimento Mosaico.

Jonas Madureira
Pastor, professor, teólogo, filósofo e escritor

Harmonia é a marca da criação, e unidade é a marca da Igreja. Num mundo marcado por fragmentação, alienação, impessoalidade e desintegração, torna-se imperativo refletir sobre o chamado à unidade do povo de Deus como testemunha viva do Criador que fez todas as coisas para a sua glória. Este excelente livro nos ajuda a refletir sobre esse tema fundamental à luz das Escrituras e das contribuições históricas da Igreja, apresentando caminhos sólidos e claros para o cumprimento da vocação cristã.

Ricardo Barbosa
Pastor e escritor

A unidade da Igreja deve ser um esforço intencional de todo cristão, não como um fim em si mesma, mas para que o mundo nos conheça como discípulos de Cristo e, assim, glorifique o Pai. Este livro é um sinal profético diante da realidade da Igreja brasileira.

Sebastião Junior
Missionário da SEPAL

Sumário

Agradecimentos 6
Apresentação 7
Prefácio 11

Introdução — A orquestra 15
Pedro Lucas Dulci

1. **Igreja relacional — Diminuindo a distância entre as gerações** 25
Rafael Balestra Cassiano

2. **Igreja profética — As ideologias denunciadas** 37
Carlos Henrique de Paula

3. **Igreja plural — As tradições em perspectiva** 48
Pedro Lucas Dulci

4. **Igreja evangélica — As heresias tratadas** 59
Igor Miguel

5. **Igreja católica — As dimensões da missão** 71
Guilherme de Carvalho

6. **Igreja apostólica — As raízes do Corpo** 84
Guilherme Franco

7. **Igreja demonstrativa — Renovando as culturas** 96
Marcos Almeida

Considerações finais 108
Pedro Lucas Dulci

Posfácio 113
Notas 119
Sobre os autores 125

Agradecimentos

Ao Senhor, pois ele é o nosso Salvador.

Aos amigos do Mosaico, que tanto nos ensinam sobre as "juntas e ligaduras", as relações que fazem, de um punhado de membros, um corpo.

Às nossas mulheres e aos nossos filhos, porque, sem eles, ser cristão seria algo muito abstrato para nós.

À Igreja de Jesus, que, antes, melhor e muito mais do que todos nós, teólogos e apologistas, é a coluna e o baluarte da verdade.

Apresentação

Não é de hoje que a Igreja sofre com divergências internas. As divisões e discordâncias ocorrem desde a era apostólica e, na visão dos mais pessimistas (ou realistas?), vão durar até a segunda vinda de Cristo. Lamentavelmente, a Igreja de nossos dias parece que vive um agravamento do fenômeno de desunião e falta de unidade, intensificado pelo advento das redes e mídias sociais. O aumento e a aceleração do acesso às informações, junto com a criação do grande fórum de debates que se tornou a Internet, amplificaram de modo nunca antes visto o exclusivismo, a agressividade, o sarcasmo, a chocarrice, a deselegância e os ataques entre irmãos em Cristo que divergem em determinados aspectos da fé. A verdade é que tornou-se praxe encontrar cristãos se digladiando pelo que têm de diferente em vez de se abraçando pelo que têm em comum.

A Mundo Cristão tem a diversidade em seu DNA, junto com a seriedade bíblica. Por ser uma editora de cosmovisão cristã, não se atém a publicar exclusivamente obras de autores de uma única denominação, tampouco que sigam uma só linha doutrinária. Somos uma editora que dá voz à pluralidade de visões presentes nas diversas vertentes do cristianismo, desde que se mantenham dentro da sã doutrina bíblica. Essa característica se reflete até mesmo no quadro de profissionais que trabalham na editora: há presbiterianos, batistas, pentecostais, metodistas e membros de outras tradições cristãs, e todos eles se relacionam em harmonia, com base no amor e no respeito mútuos, escorados no mesmo senso de missão e na certeza de que a priorização dos temas centrais do cristianismo é muito mais importante do que as diferenças periféricas em aspectos secundários da fé.

Por isso, quando a Editora tomou conhecimento da proposta do Movimento Mosaico, imediatamente surgiu uma identificação. Caso você ainda não conheça, o Mosaico — como seus próprios integrantes o definem — é um movimento relacional de unidade. Não é uma aliança de igrejas, nem uma fraternidade de teólogos, tampouco uma sociedade de intelectuais; é um grupo de cristãos das mais variadas linhas doutrinárias que se esforça pela unidade da Igreja por meio de uma plataforma de relacionamentos — conectando pessoas, relacionando projetos e sustentando subjetivamente indivíduos para que floresçam e desenvolvam seus ministérios específicos. A Mundo Cristão logo identificou os membros do Mosaico como cristãos sérios e teologicamente capazes, que poderiam levantar uma reflexão sobre a desarmonia existente entre os evangélicos e sobre a busca da unidade pelo vínculo da paz.

Por isso, a Editora entrou em contato com Pedro Lucas Dulci e, após produtivas conversas, propôs a realização desta obra. A ideia seria a criação de um livro sobre os principais assuntos que hoje dividem a Igreja e o que os cristãos podem fazer em prol da unidade do Corpo. A grande pergunta que lançamos foi: é possível calvinistas e arminianos, cessacionistas e pentecostais, ortodoxos e simpatizantes da missão integral, e adeptos de tantas outras segmentações do cristianismo viverem em paz e harmonia, unidos e em parceria fraternal, a despeito das divergências de opinião, tendo por base as doutrinas centrais e essenciais da fé cristã? Se é possível, como criar essa unidade?

Mostrando coerência com a proposta do Mosaico, Pedro imediatamente apresentou uma sugestão, que foi muito bem-vinda: em vez de abraçar para si a oportunidade de escrever uma obra que expusesse a *sua* visão, ele propôs que diferentes integrantes do Mosaico fossem convidados para escrever, cada um, um capítulo da obra. Pluralidade e diversidade em prol da unidade: nada mais coerente!

Foi assim que surgiu o livro que você tem em mãos. O objetivo dos autores e da Editora não é propor a plena igualdade de visões — uma meta que, como nos prova a história da Igreja, é utópica. *Igreja sinfônica* tem como objetivo estimular a reflexão sobre alguns dos principais pontos que dividem a Igreja de Cristo e propor caminhos para que se abrace a unidade, apesar das discordâncias. E isso, sim, é perfeitamente possível.

Nosso desejo é que os cristãos consigam viver em paz, como integrantes de uma grande orquestra que, mesmo sendo um o violino e o outro, o piano, entoem a mesma melodia, caminhem no mesmo ritmo e criem acordes harmônicos e sintonizados com a proposta do grande maestro: o nosso Senhor, Jesus Cristo.

Boa leitura!

MAURÍCIO ZÁGARI
Editor

Prefácio

A busca pela unidade entre os cristãos é tão antiga quanto a própria Igreja. Conforme nos relata o livro de Atos dos Apóstolos, a convivência em uma mesma igreja de judeus e gentios convertidos a Cristo foi uma das primeiras questões a ser enfrentadas pelos apóstolos. Essa busca, que demanda primeiramente a definição do que é cristianismo e quais são os limites de sua expressão teológica, litúrgica e prática, continuou pelas gerações seguintes, provocando debates intensos em concílios, o surgimento de credos, confissões e catecismos, além de movimentos em busca dessa unidade.

O livro que o leitor tem em mãos é a contribuição de autores evangélicos modernos para nossa geração. É parte dessa busca histórica e perene. Como os autores o definem, é um "esforço da unidade evangélica pelo vínculo da paz". Em que sentido ele é diferente de outros livros de nosso tempo que tratam do mesmo tema?

Primeiro, é um livro multiautor. Foi escrito por evangélicos de diferentes tradições teológicas, mas unidos pelo mesmo ideal. Essa diversidade dentro da unidade faz parte da visão do Movimento Mosaico. O fato de que autores de diferentes tradições podem escrever os capítulos de um livro coeso sobre unidade evangélica, em si, já é uma demonstração que essa unidade é possível.

Segundo, cada capítulo está muito bem integrado aos demais e foi escrito dentro dessa perspectiva de unidade dentro da variedade. Mais uma demonstração prática do que o livro entende por unidade evangélica.

Terceiro, boa parte dos autores são jovens estudiosos de teologia. Não dá para deixar de perceber no livro a perspectiva sonhadora, sem ser utópica, que é típica de uma juventude já entrada na maturidade. A juventude aliada ao conhecimento traz novas perspectivas, ânimo novo e empurra para frente essa busca tão antiga.

Quarto, em que pese o que foi dito no parágrafo anterior, os autores demonstram conhecimento da história da Igreja, dos autores reformados e de outras tradições, da teologia clássica e moderna e das tendências culturais, políticas e sociais de nossos dias. Isso ficará claro pelas abundantes notas de rodapé e pela quantidade de obras consultadas. Esse conhecimento é oferecido em linguagem bastante atualizada, o que permite uma interação imediata com os leitores jovens.

Além desses aspectos, que tornam o livro uma obra diferenciada, outros o recomendam à nossa atenção. A obra explora os limites da pluralidade evangélica sem comprometer o núcleo central daquilo que se constitui no cristianismo histórico. A unidade de todos os verdadeiros cristãos em Cristo, pelo Espirito, é assumida. O que se busca é a expressão externa harmônica dessa unidade, que já existe, combinando ortodoxia, ortopraxia e ortopatia, ênfases que marcam diferentes tradições protestantes.

O compromisso de cada autor com as verdades que sempre foram centrais e inegociáveis para os cristãos é evidente em cada capítulo. Um dos maiores perigos enfrentados pela Igreja em sua busca constante pela unidade em meio à diversidade é de sacrificar a verdade no altar da unidade. Esse risco foi cuidadosamente evitado aqui.

Este livro não propõe o fim das denominações e tradições em nome de uma unificação externa; e não é crítico da Igreja como instituição. Também não é utópico, imaginando que será possível acabar com as diferentes tradições e reunir todos os evangélicos num único corpo eclesiástico. A obra é marcada por uma consciência clara das limitações que os evangélicos enfrentam para conviver e da realidade do divisionismo e do espírito sectário que caracteriza muitos setores da cristandade. Ainda assim, entende que há muito a ser feito para manter a unidade do Espírito pelo vínculo da paz.

Obviamente, discordo de algumas afirmações dos autores do livro e da recomendação que fazem de um ou outro autor. Mas isso não me impede de recomendar o livro como um todo. Afinal, ele é sobre harmonia em meio à diversidade, não é mesmo?

A figura inicial do livro é de uma orquestra e do processo envolvido numa apresentação pública. E a figura final é de uma catedral cheia de janelas e vitrais. As duas expressam muito bem o conceito central do livro. A minha oração é pela unidade do povo de Deus em torno da verdade por ele revelada nas Escrituras — e que ele use este livro para este objetivo.

AUGUSTUS NICODEMUS LOPES
Pastor titular da Primeira Igreja Presbiteriana de Goiânia (GO),
escritor e professor

Introdução

A ORQUESTRA

Pedro Lucas Dulci

> Como prisioneiro no Senhor, rogo-lhes que vivam de maneira digna da vocação que receberam. Sejam completamente humildes e dóceis, e sejam pacientes, suportando uns aos outros com amor. Façam todo o esforço para conservar a unidade do Espírito pelo vínculo da paz. Há um só corpo e um só Espírito, assim como a esperança para a qual vocês foram chamados é uma só; há um só Senhor, uma só fé, um só batismo, um só Deus e Pai de todos, que é sobre todos, por meio de todos e em todos.
>
> Efésios 4.1-6

Este livro trata da unidade da fé cristã por meio do vínculo da paz e do esforço necessário para conservá-la, como o apóstolo Paulo expôs em Efésios. Embora possa parecer, pelo fato de ter diversos autores, esta obra não é a reunião de nove textos produzidos individualmente e publicados em conjunto. Na verdade, podemos dizer que ela é a materialização daquilo que propõe: o caminho para a harmonia da Igreja por meio de um esforço de suas diferentes partes para se relacionar. O que você encontrará nas próximas páginas não é uma receita pré-moldada de sucesso ministerial escrita por especialistas da área. Pelo contrário, trata-se de uma expressão da amizade espiritual de sete homens que dão risadas juntos, oram e choram pela Igreja — por isso não há nenhuma mulher entre os autores —, e que se dedicaram a produzir um material útil para sinalizar um caminho melhor a partir do empenho coletivo. Nosso objetivo não era descrever um horizonte utópico, mas testemunhar uma possibilidade real de frutificação a partir das diferenças.

A distância geográfica e as variantes histórica e litúrgica entre nós sete não foram suficientes para impedir o cumprimento desse projeto. Além disso, nenhuma dificuldade pessoal foi obstáculo para não nos reunirmos. Há entre nós pais de primeira viagem, plantadores de novas igrejas, pastores requisitadíssimos e membros de projetos variados, de modo que tais atividades nos tomam praticamente todo o tempo. Mesmo assim, nos reuníamos de madrugada, por meio de plataformas *on-line*, mantínhamos intensa comunicação ao longo da semana pelas mídias sociais e — o mais importante — nos esforçávamos em ler, constantemente, o texto uns dos outros. Você perceberá que muitas ilustrações, argumentos e citações são semelhantes em mais de um capítulo. Nós nos empenhamos nisso por um motivo fundamental: queríamos ser coerentes com aquilo que estamos apresentando à Igreja brasileira. Se escreveríamos sobre a necessária unidade para o Corpo de Cristo, precisávamos nos dedicar ao vínculo da paz. Ninguém poderá nos chamar de hipócritas nem de utópicos em nossas afirmações, pois vivemos, na prática, cada dimensão da Igreja descrita neste livro.

Por tudo isso, pode ser até que você não concorde com os caminhos que apresentamos, mas é impossível desacreditar a proposta. Os autores são a prova viva do que defendem. A Igreja evangélica brasileira é indesculpável diante dessa temática, porque nós, a duras penas, experimentamos a possibilidade de viver em um conselho que se inspira, se corrige e frutifica junto. Para nós sete, sem sombra de dúvida, esse foi o maior presente de Deus. Não apenas o resultado publicado, mas a trajetória percorrida. Justamente por essa razão, desejamos que toda a Igreja de Cristo no Brasil tenha essa experiência abençoadora.

Assim, é interessante começar a lançar luz sobre esse tema recorrendo a uma imagem bastante ilustrativa: a representação de uma orquestra. Originalmente, o termo grego *orkhēstra* se referia ao espaço semicircular dentro dos antigos teatros da Grécia, onde se posicionavam o coro e os instrumentistas. Uma longa trajetória foi percorrida até o século 18, quando os agrupamentos de instrumentistas assumiram um formato mais próximo do que conhecemos hoje como as grandes orquestras sinfônicas.

Em sua forma atual, a orquestra nos fornece um modelo muito interessante de desempenho e harmonia, a começar pelo seu tamanho. As orquestras de hoje são muito maiores do que no período barroco, por exemplo. Um dos motivos é a incorporação dos instrumentos do naipe dos metais. A partir da primeira metade do século 19, com a inovação das válvulas e dos pistões, tornou-se possível ter instrumentos com grande potência sonora, em especial as trompas e os trompetes. Isso fez que fosse necessário o aumento considerável do número das madeiras (como flautas, oboés e clarinetes) e das cordas (como violinos e violoncelos), a fim de manter o equilíbrio sonoro e evitar que os outros instrumentos fossem abafados pelo som dos metais.

Tudo isso gerou dois fenômenos importantes para a configuração atual das orquestras: o aumento das dimensões das salas de concerto, para comportar os músicos e o público, e a diversificação das combinações de timbres e texturas que um compositor tem à disposição.

Outra figura marcante para a ideia de orquestra é o maestro. Ainda que esse personagem de direção de um grupo musical tenha surgido no século 17, apenas na segunda metade do século 19 é que se tornou comum a presença de um regente para lidar com as complexidades musicais das composições e com os músicos. O maestro é o responsável por decidir como interpretar cada música e, também, pelo seu andamento, sem falar de uma série de detalhes, como a coordenação dos ensaios, a marcação do tempo e a sinalização das entradas importantes. O regente mantém uma relação fina com quase duzentos instrumentistas de alto nível. Para alguns leigos, isso faria do maestro um ditador, o autoritarismo em pessoa, em uma das funções mais óbvias de poder. Para outros, em especial os próprios músicos da orquestra, o trabalho do maestro é indispensável, principalmente quando ele procura o aperfeiçoamento constante nos diversos aspectos do universo musical.

Seja qual for a interpretação do papel do maestro, o importante na discussão que levantamos neste livro é o princípio que está por trás de sua função e que faz dele uma figura fundamental para as orquestras de nossos dias. O regente coopera para algo maior do que ele mesmo: *a harmonia*, que, por definição, é o resultado da adequada relação entre os sons simultâneos na execução fiel de uma composição segundo sua interpretação adotada. Ainda que as grandes orquestras do mundo contem com instrumentistas famosos e brilhantes, nenhum deles é o todo daquele espetáculo. Pelo contrário, cada um assume seu lugar, executando no tempo devido apenas aquilo que lhe cabe no conjunto maior da obra. Por mais reconhecido que seja o instrumentista, sua presença na orquestra só tem valor na medida em que contribui para a tarefa comum do grupo. Não há espaço para o virtuose solitário em uma orquestra.

Essa é uma das maiores contribuições da dinâmica de uma orquestra: celebrar a harmonia de suas *diferenças* pelo reconhecimento da *igualdade* de sua importância. Em uma orquestra ideal, todos são músicos e estão posicionados lado a lado, harmonizados na mesma afinação e submetidos aos mesmos tempo, partitura e regência. Mas, simultaneamente, estão conscientes de suas diferenças específicas e contribuições particulares — que executarão em momentos distintos da música. Ou seja, a parte tem discernimento do todo e o todo sabe que precisa da parte. É um ambiente de paridade profissional, que permite a celebração da diferença quando essa está submetida ao propósito comum da execução. A consequência de um trabalho dessa natureza é a apreciação do resultado sonoro por parte do público, especializado ou não.

A Igreja sinfônica: harmonia e unidade nas Escrituras

O entendimento da dinâmica de uma orquestra nos permite, por analogia, compreender a recomendação bíblica de unidade da Igreja. Encontramos nas orientações de Paulo à igreja em Corinto um zelo semelhante ao do maestro em uma orquestra. Aquela comunidade local enfrentava grande desarmonia justamente porque não conseguia vivenciar a sua diversidade de dons a partir da unidade do Corpo de Cristo. Por isso, Paulo tece várias considerações, que podemos resumir em alguns princípios muito próximos da realidade das orquestras.[1]

Primeiro, o apóstolo destaca a Trindade como a regente da diversidade de dons. Junto com a afirmação da diversidade de dons, serviços e realizações, Paulo lembra que "o Espírito é o mesmo [...] o Senhor é o mesmo [...] é o mesmo Deus quem efetua tudo em todos" (1Co 12.4-6). Podemos inferir nessas palavras a intenção de encontrar justamente na igualdade entre o Pai, o Filho e o Espírito Santo a condição única para a harmonização da diversidade característica da vida cristã. Desse modo, a Trindade é o maestro da orquestra chamada Igreja. Isso significa dizer que nela, em sua natureza específica, encontramos o modelo para compreender a melhor forma de lidar com as complexidades "rítmicas" das relações interpessoais e os muitos andamentos que elas podem assumir.

A doutrina da Trindade, exclusiva do cristianismo, é uma das melhores formas de afirmar a pessoalidade de Deus em contraposição às concepções impessoais de deus encontradas em outras religiões ou outros sistemas filosóficos. Ela também fornece a descrição do modo como Pai, Filho e Espírito Santo se relacionam com seus iguais. Ou seja, na Trindade encontramos o padrão de realização da tarefa da Igreja no mundo, assim como na orquestra o maestro tem nas mãos a responsabilidade de interpretar a composição. Da mesma forma, a Igreja toma consciência de sua natureza e missão pela compreensão do ser de Deus e da responsabilidade de cada pessoa da Trindade com um aspecto da gestão da criação. Tudo isso de forma harmônica, com beleza e naturalidade.

Para descrever essa dinâmica, típica do relacionamento entre as pessoas da Trindade, alguns teólogos da Antiguidade usaram a imagem de uma "dança" das três pessoas da divindade (a *perichoresis*),[2] na qual conserva-se a individualidade de Pai, Filho e Espírito Santo ao mesmo tempo em que se afirma que os três compartilham da vida uns dos outros. Em síntese, na doutrina da Trindade temos unidade e diversidade harmonizada, servindo como o princípio mais fundamental para a regência da vida em igreja.

Segundo, o apóstolo reconhece a diversidade "sonora" de competências na Igreja. Mesmo convicto da unidade que a Trindade conferia à comunidade cristã, Paulo deixa claro que essa coesão é composta a partir de instrumentalizações espirituais diferentes no meio do povo de Deus. Essa ênfase autoral é visível até mesmo nas palavras que o apóstolo utiliza. Além de repetir três vezes o termo "diferentes", ele ensina: "Há diferentes tipos de dons (*charismátōn*) [...]. Há diferentes tipos de ministérios (*diakoniōn*) [...]. Há diferentes formas de atuação (*energēmatōn*)" (1Co 12.4-6). Nisso fica evidente a diversidade na dinâmica da vida em comunhão cristã. Não apenas existe variedade nas formas de vida cristã, como elas são distribuídas de maneiras diversas: em dons, ministérios e formas de atuação distintas.

Na orquestra chamada Igreja, a harmonização não significa uniformização, nem depende dela, justamente porque o maestro é o Deus trino revelado nas Escrituras. A unidade e a harmonia do Corpo de Cristo não decorrem de uma uniformização em formas de atuação, ministérios e dons espirituais. Pelo contrário, é precisamente porque na unidade da divindade há três pessoas de mesma substância, poder e eternidade que sua Igreja precisa demonstrar tal dinâmica no mundo por meio de sua atuação variada, coesa e bela. Qualquer tentativa de impor uma unidade artificial, pela adoção de um padrão monótono, representa distanciamento dos planos originais de Deus para a sua Igreja, sem falar em um empobrecimento dela.

Seria bastante estranho assistir a uma apresentação da nona sinfonia de Beethoven em que estivessem presentes os duzentos músicos da orquestra, mas só fosse possível ouvir o som dos violinos. Da mesma forma, uma igreja não é feita apenas com um ministério, um dom ou uma forma de operar no mundo (1Co 12.29-30). Isso vale para os cristãos históricos e sua ênfase no ministério da pregação, para os pentecostais e a importância que dão ao dom de variedade de línguas, e para os adeptos da missão integral e sua forma de atuar no mundo não cristão. Cada um precisa se empenhar em tocar bem seu instrumento (cf. 1Co 12.31), mas não à custa de abafar as outras manifestações da multiforme graça de Deus derramada sobre a Igreja.

Terceiro, o apóstolo encontra no bem comum o objetivo das manifestações do Espírito na Igreja. Segundo Paulo, "A cada um, porém, é dada a manifestação do Espírito, visando ao bem comum" (1Co 12.7). Aqui dois aspectos saltam aos olhos. Primeiro, cada membro da Igreja de Cristo recebeu algo do Espírito Santo.

Isto é, não existe a divisão em duas classes, a dos "ungidos" e a dos "não ungidos". Pelo contrário, fica evidente o que os reformadores chamaram de "doutrina do ofício de todos os crentes", o ensinamento de que na comunidade cristã não existe um grupo apenas de oficiais ungidos e separados para todo o serviço cristão. Na verdade, cada crente em Jesus tem uma vocação, uma tarefa missional vital que precisa ser exercida. Quando cada um de nós cumpre o chamado que recebeu, esse serviço é oficialmente um trabalho ministerial no reino de Deus por meio da sua Igreja. Segundo, o motivo que justifica todos os crentes receberem um dom do Espírito é o bem comum. O termo em grego escolhido pelo apóstolo para comunicar essa ideia (*symphero*) transmite a noção de trazer junto de si algo proveitoso, conveniente para todos. Aqui, a imagem da orquestra é mais uma vez ilustrativa. As diversas capacitações dos instrumentistas não têm valor em si mesmas, por mais espetaculares que sejam. Tanto na orquestra quanto na Igreja, a beleza está na harmonia da *performance* da multidão de instrumentos. Caso contrário, não seria necessário haver uma orquestra, bastava um solo. Ou, ainda, como afirma o reformador holandês Abraham Kuyper quando fala da obra do Espírito Santo na Igreja:

> Seu propósito não é meramente agradar ou enriquecer indivíduos, muito menos dar a uns aquilo que nega a outros, mas, com pessoas assim dotadas, adornar e favorecer a Igreja toda. Nós não colocamos uma lâmpada na mesa para favorecê-la de maneira especial ou porque ela seja melhor do que a cadeira ou o fogão, mas simplesmente porque assim ela cumpre seu propósito e toda a sala é iluminada.[3]

Compreender essas verdades é um desafio de primeira grandeza para a Igreja de Cristo, em todas as épocas.

A Igreja monótona: desarmonia e desunião no evangelicalismo brasileiro

Com base nos termos que estamos utilizando, é possível dizer que os evangélicos no Brasil não alcançaram a harmonia em suas diferenças. Pelo contrário, cada um vive em permanente conflito com os outros. É semelhante a uma orquestra de ponta, em que seus instrumentistas estão empenhados em tocar da melhor forma, mas, na hora em que se reúnem, nem que seja para um ensaio, ninguém consegue distinguir a música que está sendo tocada (cf. 1Co 14.7-8). Assim, a Igreja evangélica brasileira mais se parece com a reunião de vários solistas tocando ao mesmo tempo, o que é extremamente desagradável de se ouvir.

Essa desarmonia descreve o cenário evangélico brasileiro. Ainda que haja indivíduos envolvidos com excelência nos diferentes ministérios, não há unidade entre eles. Ao contrário, existe muita competitividade para convencer os ouvintes de que o violino é mais importante que a flauta. Muitos que exercem o ministério profético, denunciando as injustiças sociais e apontando as idolatrias do povo, acreditam que seu trabalho é mais urgente do que aquele dedicado ao ensino ou à evangelização. O mesmo acontece com quem se dedica à arte, à teologia, à evangelização e à missão urbana ou transcultural. Vemos um exército de virtuoses empenhados em fazer que o resto dos instrumentistas — e o mundo fora da Igreja — se convença de que a sua causa específica é a mais importante.

Esse é o som que a Igreja faz ecoar atualmente no Brasil. Produzimos acordes de um virtuosismo isolado, e não demonstramos capacidade de elaborar arranjos diferentes e criativos que componham uma melodia executada por mais de um só. Da mesma forma que uma orquestra com essas características teria uma sonoridade irritante, a postura da Igreja evangélica em nosso país soa desagradável. Além de denunciar nossa falta de harmonia e capacidade de reconhecimento entre irmãos, gera culpa e dúvida no coração das pessoas, que então passam a questionar o valor dos seus dons e de seu ministério em razão das falsas urgências proclamadas.

Na teoria musical, a harmonia possui três funções principais: a tônica, a dominante e a subdominante. A primeira transmite a sensação de estabilidade e finalização; a segunda, ao contrário, traz instabilidade e tensão; enquanto a última é a preparação para sair de uma e ir para a outra. Quando essas funções estão corretamente relacionadas, alcançamos um resultado harmônico. Isso significa que existem acordes específicos com uma função harmônica particular e que não é possível omiti-los sem comprometer toda a música. Mesmo se for o caso de uma improvisação, um solo ou algo dessa natureza, é necessário que tudo aconteça dentro do campo harmônico apropriado.

A mesma dinâmica precisa ser vivida no Brasil. Sem reduzir as ênfases que uma igreja pode assumir, podemos dizer que existem enfoques ministeriais e denominacionais que exercem a função dominante de criar tensão e instabilidade em seus ouvintes. São os ministérios proféticos de denúncia do pecado, da idolatria e da injustiça. Mas eles precisam das funções subdominantes para "resolver" aquela melodia, caso contrário se tornam uma trilha sonora de filme de terror, onde apenas duas notas causam a sensação de pânico. São os ministérios de auxílio, que contribuem para a Igreja alcançar sua função tônica, de estabilidade, repouso e finalização.

Esse desafio harmônico é o tema deste livro. A Igreja no Brasil não precisa de um maestro, nem de músicos virtuosos, pois já temos ambos. O que falta é harmonia. Essa relação adequada entre os sons simultâneos na execução fiel da composição trinitária só será possível quando cada músico desenvolver a capacidade de tocar seu próprio instrumento sem se fazer de surdo aos que estão ao redor, sem abafá-los e sem menosprezar ou hostilizar quem toca instrumento diferente. Para isso, nossa hipótese é que necessitamos de uma base relacional forte que, em seguida, assumirá contornos proféticos, plurais, genuinamente evangélicos, católicos, apostólicos e demonstrativos.

1

IGREJA RELACIONAL

DIMINUINDO A DISTÂNCIA ENTRE AS GERAÇÕES

Rafael Balestra Cassiano

A Organização das Nações Unidas (ONU) realizou um simpósio de diplomacia cultural em sua sede, em Nova York, por ocasião de seu 70º aniversário de fundação e do final da Segunda Guerra Mundial. A reunião, com representantes de países de todo o mundo, teve como tema *Desenvolvimento de iniciativas que promovem entendimento cultural, direitos humanos e paz global.* O encontro, de relevância mundial e no qual ocorreram discussões decisivas, se deu na semana em que a assembleia geral da ONU se reuniu com número recorde de participantes — mais de 150 chefes de Estados membros das Nações Unidas e missões diplomáticas —, que discutiram sobre ações conjuntas para manutenção da paz, segurança mundial e desenvolvimento sustentável. Meu amigo Flavio Guaratto compareceu ao evento e fez um relato bem interessante. Ele me contou que três aspectos se destacaram nas reuniões: *transição de gerações*, *tradução* e *sustentabilidade*.

Numa demonstração de que a ONU está trabalhando de maneira séria e intencional a questão da *transição de gerações,* cada líder tinha consigo um representante mais jovem, com menos de 30 anos, que não apenas acompanhava o delegado oficial, mas era incentivado a ter voz e a ser inserido no diálogo com os outros líderes.

Com relação à *tradução,* Flavio percebeu que os presentes estavam preocupados em traduzir para os representantes mais jovens a importância, o legado e a relevância de poderem estar lá, dialogar e debater questões internacionais e do planeta. A forma de enxergar o mundo, de compreendê-lo e conviver com ele é muito distinta entre as gerações, e parece que a distância entre as diferentes percepções aumenta cada vez mais. Isso faz que o desafio da tradução seja, também, uma questão geracional.

Outro destaque foi a *sustentabilidade*. Passamos muito tempo pensando em viabilidade (empreender, fazer, realizar), e tratamos os nossos recursos como se fossem inesgotáveis. Mas a realidade do mundo atual nos mostra que não podemos lidar com eles dessa maneira. Sustentabilidade tem a ver com durabilidade, algo que se mantém a longo prazo, que atravessa as hostilidades e se faz presente no futuro.

Essas três ênfases do evento das Nações Unidas são totalmente aplicáveis ao contexto da Igreja. O Corpo de Cristo não precisa somente se engajar nos objetivos que a ONU elegeu como os mais importantes para as próximas décadas, como se a comunidade da fé fosse apenas um agente socioeconômico de alcance global. Em vez disso, sua preocupação poderia ser mais orientada pela sustentabilidade da Igreja na terra como instituição, proposta e proclamadora de uma palavra profética. Não é possível pensar em unidade harmônica sem sustentabilidade da própria Igreja.

Vale ressaltar que a sustentabilidade está relacionada aos outros dois conceitos: tradução e transição. É importante observar que eles são interdependentes. Não podemos ter sustentabilidade sem tradução e transição. Sem a correta tradução de visões de mundo não existe a transição harmônica entre gerações, que, por sua vez, fornece as condições para que haja sustentabilidade ao longo dos anos.

Portanto, assim que ouvi o relato de meu amigo sobre as ênfases do simpósio, percebi que havia um paralelo muito claro com as necessidades da Igreja evangélica brasileira. O teólogo Francis Schaeffer escreveu:

> Se alguém vai passar uma longa temporada no exterior, é de se esperar que a pessoa aprenda a língua do país para onde vai. Mais do que isso, entretanto, é preciso que essa pessoa realmente consiga

> comunicar-se com aqueles entre os quais vai viver. É necessário ainda aprender outra linguagem: a das formas de pensamento das pessoas com quem falará. Só assim nosso viajante será bem-sucedido em sua comunicação com elas. O mesmo ocorre com a Igreja cristã. Sua responsabilidade não é apenas professar os princípios básicos da fé cristã, à luz das Escrituras; sua tarefa é comunicar essas verdades imutáveis à geração em que se situa. Cada geração cristã depara com esse problema de aprender como falar à sua época de maneira comunicativa.[1]

Schaeffer deixa claro que, se não investirmos em tradução, nossa comunicação será comprometida. Um princípio básico de comunicação afirma que a responsabilidade de se fazer entendido é, em maior parte, do comunicador. Nós, como Igreja, não podemos cair no erro de falar de qualquer maneira, esperando que as pessoas se ajustem à forma como estamos nos comunicando. Isso é fazer o mundo sofrer com a Igreja que tem.

Pelo contrário, o papel profético da Igreja é preparar cristãos que leiam o mundo e consigam comunicar-se com ele, de modo que a boa notícia do evangelho seja facilmente compreendida. O apóstolo Paulo, por exemplo, foi aos lugares onde filósofos se reuniam e conversou como filósofo; o reformador João Calvino compreendeu o seu tempo, discerniu que o local onde estava precisava de centros de ensino e, por isso, ajudou a fundar uma universidade; o político William Wilberforce arriscou sua vida e sua reputação ao militar pela abolição do tráfico negreiro. Assim, ao longo de toda a História, cristãos ensinaram novos conceitos, construíram instituições sociais, lutaram por direitos humanos, protagonizaram movimentos que mudaram o mundo. Em síntese, esses homens e mulheres traduziram e inspiraram, apontando o caminho — como é característico na ação profética.

Vale considerar, entretanto, que Schaeffer está falando da tradução e da comunicação da Igreja com o mundo que a circunda. Mas e quando esse desafio surge dentro de casa, isto é, dentro da própria Igreja? Os mesmos *insights* podem ser úteis para pensarmos sobre a tradução do mais velho para o mais novo, e também do mais novo para o mais velho. Isso porque, sem um relacionamento sustentável entre as gerações, comprometemos a transição e, com certeza, a unidade da Igreja.

Relacionamentos insustentáveis: parte e todo na Igreja brasileira

Nossa experiência com o Movimento Mosaico mostra uma clara e enorme dificuldade (para não dizer desleixo) com os processos de tradução e transição na Igreja evangélica brasileira de nossos dias. O resultado é quase incontornável e, obviamente, estamos perdendo sustentabilidade. Tal processo inicia-se com o desinteresse da geração mais jovem em relação à tradição que os líderes mais experientes não conseguem transmitir. Somado a isso, existe a pressão de uma cultura de resultado, isto é, a necessidade de tornar o trabalho visível para os outros. Isso faz que o processo de discipulado seja comprometido, uma vez que isso é algo que precisa ser feito por um líder servo com poucas pessoas — o que não interessa ao evangelho da visibilidade, no qual, para ter sucesso, é preciso *aparecer* "servindo" à multidão. O auge dessa distorção ocorre quando alguns indivíduos transformam seu nome em uma marca que precisa ser vendida, divulgada e submetida às leis do mercado *gospel*. Ou seja, ao que parece, o que estamos vendo são líderes que procuram apenas viabilizar o *seu* projeto ministerial, o que compromete a continuidade da própria iniciativa, uma vez que essa postura não permite deixar legado algum.

A trajetória parece estar recheada de medo. Medo de perder a posição, a influência, o alcance ou, pior, o emprego — que, infelizmente, é como muitos encaram o ministério. Para aqueles que construíram um império, o medo é o de perder tudo o que fizeram na "força do próprio braço". Sim, ousamos dizer isso, pois, se fosse Deus quem tivesse gerado os frutos, não haveria por que temer essa perda.

Por causa desse medo e dessa incapacidade de transpor a si mesmos, muitos líderes eclesiásticos têm morrido sozinhos. Quando o líder não morre de cansaço por ter trabalhado tanto de forma isolada, infalivelmente seu ministério vai para a sepultura junto com ele quando morre fisicamente — a não ser que prepare filhos (que muitas vezes não têm nenhum chamado pastoral) para sucedê-lo, num nepotismo problemático que é visto em diversas instâncias da Igreja no Brasil. A razão desse fenômeno é simples: não existiu transição e, por isso, a sustentabilidade foi comprometida. A situação é péssima nesse aspecto. Os líderes mais jovens da Igreja crescem observando a solidão de um líder autoritário que não constrói processos de transição. Isso só perpetrará a insustentabilidade desses relacionamentos e desses ministérios.

Como bem considera Robert Coleman no clássico *Plano mestre de evangelismo*,[2] uma das etapas do processo de discipulado de Jesus é a *associação*. Mesmo não havendo um discipulado intencional, ainda assim o mais jovem observa o comportamento do mais velho e associa-se a essa maneira de proceder ministerialmente. Logo ele passará a repeti-la. O que temos como resultado desse processo nos âmbitos eclesiásticos nos quais os líderes vivem em isolamento são realidades insustentáveis, dada a imitação de procedimentos que ocorre cada vez mais cedo.

Além disso, se antes observávamos os mais velhos sentindo-se sós na liderança, hoje isso acontece cada vez mais precocemente. É um paradoxo, pois, em tempos de abundância de congressos, literatura e todo tipo de recursos sobre liderança, testemunhamos uma geração frágil em sua sustentabilidade nessa área. Em parte isso ocorre porque esse grande volume de material sobre o assunto enfatiza, em geral, soluções de problemas do indivíduo, ou seja, propõe respostas para quem procura viabilizar um projeto pessoal de liderança. Isso faz que as soluções apresentadas nesses materiais sejam apenas pragmáticas e objetivas, pois não se espera nada menos do que a "prática" em assuntos dessa natureza, quando, na verdade, sabemos que aspectos subjetivos e invisíveis também são determinantes na formação da liderança eclesiástica.

Apesar disso, não há uma proposta de trabalho das partes mais subjetivas: as afetividades, os relacionamentos, a pessoa; algo que só pode ser feito no ambiente do discipulado relacional com poucos indivíduos. O foco da maioria dos recursos disponíveis está no *resultado*. E, geralmente, esse resultado está muito ligado à quantidade — de pessoas, dinheiro, notícias, *likes* e número de acessos. Entretanto, manter essa postura ministerial ao longo do tempo é totalmente insustentável. Além de alimentar ídolos no coração do líder, também distancia-se completamente do modelo apresentado por Jesus. Se utilizarmos a imagem da construção civil, vemos que, quanto mais profundos forem os alicerces de uma edificação, mais sustentável ela será.

Entretanto, na engenharia, os alicerces são invisíveis, pouco glamourosos e ninguém se lembra muito deles quando observa a suntuosidade dos edifícios. O mesmo vale para as relações ministeriais. Quanto mais investirmos no invisível, no subjetivo, mais sustentação teremos para aquilo que é o belo de Deus nas partes visíveis. De maneira prática, isso significa investir tempo em agendas pessoais, como refeições, conversas e encontros relacionais que, por definição, passam despercebidos aos olhos da multidão. Trata-se da dimensão "caseira" da relação ministerial. Não é sem motivo que os ministros precisam ser hospitaleiros (1Tm 3.2; Tt 1.8). Essa agenda será o meio pelo qual o discípulo mais jovem absorverá aqueles aspectos de seu líder que não podem ser apreendidos apenas na pregação. Tanto é assim que, se o líder for incoerente com o que prega, isso ficará explícito na relação.

Outro exemplo de problema grave está sendo gerado com a departamentalização de ministérios dentro das igrejas, consequência direta do tamanho delas. Não que haja algum problema no fato de haver departamentos, muito menos em ter uma igreja grande. Mas, no que se refere ao contato e ao relacionamento entre diferentes gerações, essa separação cria uma lacuna de comunicação entre os mais velhos e os mais novos. Basta ver a baixa interação do jovem nos assuntos e nas ações que supostamente são pertinentes aos mais velhos — e uso de modo intencional o termo "supostamente", porque, na realidade, tais assuntos não são pertinentes só aos mais velhos.

Um exemplo prático disso são os cultos de jovens. Essas atividades não são um problema em si, mas deixam patente a mentalidade, que tomou conta da maioria das igrejas, da totalização da parte. Isso ocorre quando o "ministério de jovens" deixa de ser, na mente de quem lidera, uma parte do todo e se torna um todo em si. Em vez de se reunir para um culto, simplesmente, o jovem é mobilizado para falar sobre problemas de jovens, discutir questões de jovens e organizar atividades para jovens. Como não estão nas outras áreas da igreja, eles têm dificuldade de propor algo discernindo o todo, pois a sua mente está sempre focada na viabilidade da sua parte. Assim, desde que a sua parte esteja sendo bem executada, ele não se preocupa, por exemplo, com o orçamento da igreja e com os outros ministérios — atividades organizadas geralmente pelos mais velhos, das quais os jovens se ausentam.

Sem falar que, muitas vezes, esses cultos são planejados apenas para ocupar a agenda do fim de semana, como forma de evitar que os jovens da igreja saiam para a balada. Claro que aqui o problema está mais na motivação pela qual as atividades são realizadas do que nas atividades em si. Esses motivos mostram que essa metodologia é pouco útil para "tirar o jovem do mundo", pois onde ele será colocado? Além disso, ela reforça a dicotomia contra a qual tanto tentamos lutar e alimenta a não interação entre as gerações da igreja.

Por outro lado, o mais velho também não se queixa dessa situação; afinal, a departamentalização diminui as suas preocupações e o preserva de atritos relacionais com outras gerações. O problema é que, se a falta de atrito é positiva por um lado, por outro as gerações distintas acabam por não ter nenhum tipo de relacionamento real e profundo, no qual o jovem senta no conselho da igreja, frequenta a casa dos anciãos e participa de forma pensante dos projetos para a família da fé como um todo. Ou seja, a relação entre as diferentes gerações torna-se superficial. Pior ainda, quando o jovem é convocado pela liderança mais velha é para carregar algo, montar, mobilizar. Assim, embora participe da execução, ele não está presente no momento de tomar as decisões, no planejamento.

O modo de condução compartimentalizada é confortável tanto para os mais jovens como para os mais velhos. É uma dinâmica que se retroalimenta. Essa segmentação elimina o conflito para ambos, agiliza a execução dos projetos, tira a responsabilidade do jovem e alimenta a preguiça de ensinar do mais velho. Quando as igrejas testemunham seu sucesso em relação à "juventude" pelo número de frequentadores dessas reuniões, demonstram não entender muito sobre a dinâmica típica da Igreja de Cristo.

A imagem do corpo nos auxilia bem nesse momento. Qualquer ser vivo que se movimenta a partir do trabalho conjunto de seus órgãos e membros sofre um desgaste natural. Quanto maior a estrutura e mais frequente o movimento, mais antecipada é a degeneração. A cartilagem — a parte praticamente invisível no processo, mas não menos importante — serve justamente para ser desgastada no atrito do movimento. Nada mais em conformidade com a criação de Deus. Logo, essa figura bíblica do corpo e dos membros para descrever a Igreja ajuda a perceber quão importante e urgente é valorizarmos o relacionamento e o desgaste que a cartilagem representa.

A falta de uma transição planejada e o distanciamento entre gerações evidenciados pela departamentalização são apenas dois dos muitos pontos que contribuem para a insustentabilidade dos relacionamentos dentro das igrejas evangélicas brasileiras em nossos dias. A partir desses exemplos, precisamos nos perguntar como estamos conduzindo os processos no ambiente eclesiástico: eles estimulam a responsabilidade de todos? Trazem consciência coletiva? Valorizam pessoas em detrimento de coisas e eventos? Enaltecem o compromisso com o indivíduo ou com o evento realizado? Nós nos importamos com os processos ou estamos tão presos ao resultado que pulamos algumas etapas em nome do resultado desejado? Perguntas como essas nos ajudam a diagnosticar a quebra de um princípio bíblico que está no centro de todo e qualquer contato entre as gerações — das famílias à igreja —, o princípio que conecta tradução, transição e sustentabilidade: o *princípio do relacionamento*.

Relacionamentos sustentáveis: a luz que brilha sem artificialidade

Se a falta de contato entre as gerações é o problema, insistir no relacionamento entre elas é a solução. Relações verdadeiras, sinceras, intencionais, dispostas e, principalmente, maduras são os primeiros passos para um evangelicalismo mais harmônico no Brasil. Promover o relacionamento para tratar a distância geracional demanda o esforço pelo vínculo da paz que Paulo menciona em Efésios — vínculo que valoriza os aspectos invisíveis, o subjetivo, a disposição para o desgaste: "Assim como o ferro afia o ferro, o homem afia o seu companheiro" (Pv 27.17). Esse relacionamento deve ocorrer de forma simples, compartilhando da mesma *pizza*, separando um tempo para o café juntos, priorizando as conversas... enfim, na postura de se empenhar pelo outro em um relacionamento.

Geralmente, grande parte da igreja está tão condicionada a avaliar resultados e funcionalidades que se esquece de mensurar os ganhos na parte "invisível", subjetiva. Por exemplo, quando fazemos uma avaliação do calendário anual na igreja, costumamos levar em conta se a agenda foi cumprida, se as propostas deram certo, se os resultados foram alcançados, e não damos tanta atenção ao fator aprendizado, isto é, não levamos em consideração se geramos cultura e consciência, se pessoas foram transformadas em seu entendimento. Se houve fracasso no cumprimento da agenda do ponto de vista operacional, talvez tenha havido sucesso na promoção de uma nova consciência. Nesse caso, vale a pena nos questionar se usamos nossos relacionamentos para realizar eventos, ou usamos os eventos como pretexto para valorizar os relacionamentos. Se nos dedicarmos a essa percepção, então passaremos a adotar uma cultura mais relacional em nossas avaliações.

Um exemplo: certa vez, no Movimento Mosaico, decidimos ajudar um amigo em missões. Reunimos um grupo de trinta pessoas a fim de fazermos *pizzas* para vender. Nesse dia, ficamos cinco horas juntos. Houve muita risada, muitas trapalhadas e, ao final do trabalho, tivemos uma conversa profunda com uma irmã que resolveu abrir o coração sobre uma situação difícil que estava passando na igreja. Ouvimos e oramos juntos. Após esse momento, dividimos as *pizzas* para cada um vender em sua igreja e fomos embora. O resultado foi que levantamos apenas 300 reais de lucro. Muitos nos perguntaram, quase em tom sarcástico: mas não era muito mais fácil cada um ter dado 10 reais e o problema estaria resolvido? De maneira pragmática, sim, teríamos poupado tempo, sujeira e desgaste físico se cada um tivesse apenas doado o dinheiro. Mas o que estava em questão na avaliação desse evento específico era a comunhão do povo, o acolhimento de uma irmã, as risadas que demos juntos, a interação de pessoas de igrejas tradicionais, pentecostais e adenominacionais. Ou seja, um relacionamento desinteressado que culminou em cura, amizade, trocas reais e auxílio financeiro a um missionário de forma a nos custar tempo e trabalho, e não apenas um depósito em um envelope.

Nós, da família de Cristo, somos o único povo que tem luz própria (Mt 5.14-16), não dependemos de luzes exteriores para promover algo. Podemos até fazer uso desses artifícios para ajudar a enfeitar nossas produções, sem nenhuma crise quanto a isso. Nosso problema é que, muitas vezes, para que as luzes "externas" funcionem bem, nós apagamos a luz de alguns irmãos. Durante nossa vida na igreja, a preparação para cultos, eventos e reuniões e o trato entre líderes não podem deixar apagar essa luz em detrimento de uma iluminação artificial. O espetáculo pode ser produzido com alguns reais. Por outro lado, nunca podemos abrir mão de pessoas para realizar algo — pelo contrário, tudo o que realizamos deve ser por causa de pessoas. É a qualidade do nosso relacionamento que mostrará ao mundo quem Deus é. Os Evangelhos garantem que, quando as pessoas se amarem verdadeiramente, desinteressadamente, o mundo verá que Deus é Deus. Eu posso mostrar o que Deus é capaz de fazer, mas só nosso relacionamento pode revelar quem Deus é (1Jo 4.20).

Pais que geram pais: a paternidade como proposta de Cristo

A vida do apóstolo Pedro nos ajuda a amarrar a questão das gerações em contato tendo o relacionamento como fio condutor. No caminho do discipulado de Jesus, vemos Pedro ainda proativo, apaixonado e, por vezes, intransigente. Nesse tempo, observamos todo o empenho de Jesus com a parte que estimula o relacionamento: a caminhada, as pescas, as conversas à sombra de árvores, o valor da amizade com Pedro, independentemente das competências ou incompetências do discípulo. A disposição de Jesus em se relacionar com Pedro, apesar das negações e do temperamento intempestivo dele, nos revela o princípio, a consciência e a motivação do coração do Mestre.

Jesus age como modelo de disposição relacional para Pedro e o orienta a fazer o mesmo com seus semelhantes. E não só isso, ele também o alerta para o fato de que, no tempo presente, Pedro vai aonde quer, empreende como entende e na velocidade que convém. Todavia, haverá um tempo em que alguém mais jovem que ele o pegará pela mão e o levará por lugares que ele não gostaria de ir (Jo 21.18). Em toda essa trajetória, vemos Pedro aprendendo com o mestre Jesus. Em seguida, constatamos sua responsabilidade de fazer o mesmo com os mais novos, até o dia em que seria auxiliado pelos outros (Jo 21.18).

Essa leitura nos ajuda a compreender certo episódio envolvendo o apóstolo Paulo. Pedro e Paulo eram bem diferentes, não apenas no tempo de caminhada com Cristo, mas no chamado de cada um. E essa diferença ficou evidente no desgaste que tiveram em Jerusalém e também em como procederam na resolução de suas diferenças. Em vez de uma divisão no interior do grupo apostólico, vimos o desenvolvimento da consciência de todos sobre o que significava ser membro da Igreja de Cristo, materializado na primeira ata de reunião da Igreja (At 15.1-35). Para alcançar essa consciência, porém, foi necessário insistir no relacionamento. Paulo não hesitou em resistir ao experiente apóstolo Pedro, mesmo sendo mais novo no corpo apostólico (Gl 2.11). Por outro lado, Pedro não se ressentiu com Paulo, muito menos usou de sua antiguidade apostólica para dizer que Paulo não poderia falar com ele daquela forma. Nada disso aconteceu. Pelo contrário, foi uma conversa de pai para pai. Pedro tomou a palavra e usou sua credibilidade para reafirmar a legitimidade do ministério de Barnabé e Paulo, mais jovens na proclamação do evangelho. Vemos, assim, os velhos de casa se arriscando e se comprometendo com os mais novos. Eles superaram a diferença com a disposição de se relacionar em meio à diversidade. O resultado "pareceu bem aos apóstolos e aos presbíteros, com toda a igreja" (At 15.22, RA). Sem sombra de dúvida, eles aprenderam essa postura com seu Senhor.

Jesus sempre fez questão de garantir a diversidade. Ele não estava empenhado na uniformidade dos tijolos, mas na harmonia das pedras.[3] Percebemos isso desde a convocação dos doze apóstolos: no grupo havia pescador, cobrador de imposto, zelote... ou seja, diversidade. Isso já diz muito sobre gerações em contato e sobre unidade harmônica. É preciso haver disposição e convicção para caminhar crendo na unidade em meio à diversidade e para garantir pluralidade sem rivalidade. É preciso superar as diferenças para alcançar harmonia. Em seu livro *DNA e propósito,* Paulo Borges Jr. diz: "Toda vez que se enfrenta a diferença sem disposição de harmonia, o problema não está na diferença das pessoas, mas na indisposição para com a Unidade".[4]

A harmonia que preserva a diversidade não é fácil de ser alcançada, e seu caminho nada tem de romântico. Mas, no poder do Espírito Santo, ela não só é possível, como também garantida. Se nós, à semelhança de Jesus, entendermos que só fazemos o que vimos o nosso Pai fazer, então é totalmente plausível manter a unidade pelo vínculo relacional. No que diz respeito a imitar o Pai, precisamos aprender a gerar novos pais. Conversar de pai para pai. Jesus fez de Pedro seu filho na fé, mas também o fez pai ao dar a ele a responsabilidade da Igreja. O mesmo ocorreu com Paulo. Deus é um Pai que está totalmente empenhado em gerar outros pais. Isso porque a sabedoria dos provérbios nos diz que a coroa dos mais idosos são os filhos dos seus filhos (Pv 17.6), ou seja, os mais velhos se alegram em ver seus filhos se tornarem pais. Isso está claro no exemplo do "pai da fé". Abraão recebeu a promessa de que seria pai de "todos os povos da terra", mas morreu deixando apenas poucos filhos no mundo, que, no entanto, foram suficientes para garantir as gerações futuras.

Quando um pai consegue gerar outro pai, ele estabelece um processo. E, lembrando do aspecto da associação no discipulado, ele traduziu para o filho que o processo não se encerra ao ter um filho, mas ao gerar um pai. Quando, porém, se quebra esse princípio, fica claro que há mais preocupação com o resultado do que com o processo. Se geramos um filho que não se torna pai, veremos um resultado, mas não estabeleceremos um processo, e não garantiremos sua continuidade. No fim, constataremos que não houve *tradução* nem *transição*, logo não haverá *sustentabilidade* dessa família.

O relacionamento entranhável e atento ao outro é o nosso fio condutor. A relação profética denunciará as ideologias, e a disposição relacional possibilitará a pluralidade. Em suma, é o esforço pela unidade no vínculo da paz que possibilita a harmonia da Igreja.

2

IGREJA PROFÉTICA

As ideologias denunciadas

Carlos Henrique de Paula

Uma das principais razões que, em nossos dias, fazem que líderes e comunidades cristãs inteiras se afastem, se odeiem e não se relacionem são as ideologias políticas. Por isso, é preciso fazer uma crítica semelhante à dos profetas bíblicos para denunciar esse problema. Temos de mostrar a necessidade de abrir mão de algo que está se tornando comum no Brasil: acoplar uma ideologia política ao evangelho e não reconhecer como irmão mais ninguém que esteja fora de sua chave ideológica. Rótulos como "marxismo na missão integral", "conservadorismo neoliberal da direita evangélica" e outros similares apenas denunciam a presença de obstáculos à harmonia evangélica. É preciso mostrar que não existe espaço para a identificação do evangelho com nenhuma ideologia política (de direita, centro ou esquerda). Para isso, precisamos renunciar a cada falso deus que se põe ao lado do Senhor Jesus.

Falar de falsos deuses é falar de idolatria. A Bíblia trata dessa questão desde seus relatos mais antigos. Deus nos deu uma lei que não foi abolida — o próprio Cristo nos disse que não veio para revogá-la, mas para cumpri-la. Essa lei é resumida em seu aspecto moral nos Dez Mandamentos, apresentados em Êxodo 20. Antes da lista de leis propriamente dita, o texto começa com um interessante prólogo, que explica o contexto da apresentação da lei para os israelitas retirantes e, consequentemente, para nós: "E Deus falou todas estas palavras: 'Eu sou o SENHOR, o teu Deus, que te tirou do Egito, da terra da escravidão'" (Êx 20.1-2).

Fica clara no texto a intenção de relacionar a lei com a libertação da "terra da escravidão", isto é, da condição de escravo. É justo concluir, portanto, que *lei* e *liberdade* não são realidades excludentes em uma cosmovisão bíblica. Pelo contrário, são conceitos bem amigos.

O primeiro mandamento diz: "Não terás outros deuses além de mim" (Êx 20.3). Em sentido restrito, o Senhor não quer que adoremos Baal, o faraó, o Sol ou qualquer divindade antiga ou contemporânea. Por outro lado, em sentido amplo, trata-se de uma referência à tentação de ter outros tipos de deuses — que nos visita todos os dias, de formas cada vez mais sofisticadas. A idolatria se manifesta sempre que depositamos nossa esperança em alguém ou algo que não seja o próprio Deus. Também nos tornamos idólatras quando usamos qualquer ideia, conceito ou pessoa que não o próprio Deus como lente pela qual fazemos uma leitura definitiva da realidade. É demasiado pesado para seres finitos, caídos e criados receber adoração, e também é escravizador render adoração ao que é finito, caído e criado.

Muito da nossa idolatria é fruto da ansiedade que surge provocada pela necessidade de esperar. A espera faz parte da vida, mas ela nos deixa ansiosos, o que, por sua vez, faz que tomemos decisões precipitadas e erradas. As Escrituras relatam um episódio paradigmático sobre essa questão. Logo depois do anúncio dos Dez Mandamentos ao povo, Moisés se retirou no monte Sinai por quarenta dias. É quando algo grave aconteceu: "O povo, ao ver que Moisés demorava a descer do monte, juntou-se ao redor de Arão e lhe disse: 'Venha, faça para nós deuses que nos conduzam, pois a esse Moisés, o homem que nos tirou do Egito, não sabemos o que lhe aconteceu'" (Êx 32.1).

O povo estava ansioso. E ansiedade gera idolatria. É impressionante como, sempre que a ansiedade nos ronda, ela nos leva à tentação de diluir nossas convicções no Deus que verdadeiramente promete e cumpre. O povo hebreu havia experimentado uma grande libertação e testemunhado eventos fantásticos; no entanto, relativizou com muita facilidade tudo o que vivera, porque a ansiedade tomou conta de seu coração. Quando o povo pediu que Arão fizesse ídolos, houve uma mobilização popular, um espírito de unidade, um ímpeto comunitário que o levou a ofertar com generosidade seus bens mais preciosos como matéria-prima para confeccionar um ídolo. O texto bíblico diz que as famílias, em resposta à solicitação de Arão, entregaram seus brincos de ouro para a confecção do bezerro.

O grande problema é que toda essa manifestação foi edificada sobre algo finito, caído e criado; portanto, o resultado seria inescapavelmente idólatra e escravizador. Como lente para enxergar a realidade, o bezerro de ouro era ineficaz e desrespeitoso ao Deus que livrou o povo da "terra da escravidão". Assim como ele, todo ídolo mantém seus adoradores escravizados e humilhados, distorce-lhes a visão, dá-lhes uma perspectiva errada do horizonte e os enche de falsas esperanças, alicerçadas na finitude.

Por mais que essa história nos ensine boas lições, é muito fácil achar que sua aplicação ficou perdida nas areias do deserto e que adorar um bezerro de ouro é algo bem distante da nossa realidade. Na verdade, esse tipo de atitude acontece ainda hoje e com a mesma gravidade.

Um exemplo típico é a figura do profeta — geralmente mal compreendida e cercada de reducionismos. O reducionismo mais comum talvez seja a conceituação do profeta como o "conhecedor do futuro", uma espécie de "vidente de Deus". Esse conceito se desenvolveu a tal ponto que, hoje, existem movimentos, igrejas, ministérios, "empresas da fé" e indivíduos que vivem em função de exercer seu "dom profético", de maneira muito distorcida e caricata. Essa não é uma observação generalista das expressões comunitárias pentecostais, que inclusive enriquecem a Igreja brasileira com sua vocação, mas em muitos lugares é possível perceber que Deus é compreendido como a entidade superior que existe meramente para alertar sobre o futuro e livrar do mal. Em casos extremos, a importância do pacote oferecido por essas igrejas ou esses indivíduos, que contém os itens "saber do futuro" e "livramento do mal", é proporcional à quantia gasta em "sacrifício" para o "profeta". Triste realidade.

A caricatura do "profeta vidente" é rasa como um pires. É evidente que, dentro do ministério profético no Antigo Testamento, havia momentos em que o descortinar do futuro era feito por Deus e comunicado ao povo pelo ministério de um profeta. Nossa conclusão seria mais assertiva, no entanto, se entendêssemos esse personagem não como aquele que só via o futuro, mas que, por um dom de Deus, tinha a capacidade de "enxergar a eternidade". Isso é muito maior, pois gerava no profeta algo mais robusto, por vezes até penoso. Porém, a noção de pertencimento e destino era algo que brotava do coração de quem via o mundo pela lente da eternidade. O coração do profeta concluía, assim, que o mundo tinha sido criado por um Deus bom, que o homem havia caído, que a plenitude da redenção viria com o Messias esperado e que a consumação e o juízo últimos não tardariam.

O profeta tinha uma vida escancaradamente "lexafetiva" — neologismo que ousei criar. *Lex* é a palavra latina que significa *lei*, ou seja, o profeta era necessariamente o "*lex* + afetivo" em questão: aquele que possuía uma relação afetiva com a lei, profundo encantamento com o que Deus ordenou, intenso senso de lealdade e convicção de sentido com as ordenanças. Para ele era nítido que a lei era de Deus e, por isso, muito boa. Viver segundo essa lei era, portanto, sensato, seguro e extremamente satisfatório. De igual modo, o termo "lexafetivo" talvez explique bem uma posição honrosa para o cristão e sua vocação profética.

Davi era rei e profeta (At 2.25,30), e isso fazia que ele carregasse em si a convicção de que Deus o havia chamado para um reino mais excelente, que transcendia eras. Todo aquele que sabe que é do reino de Deus, que foi inundado pela graça divina, carrega algo que é naturalmente profético: enxergar a realidade pela lente da eternidade. Davi vivia assim, com noção de destino e pertencimento e uma relação afetiva com a lei de Deus. "Como eu amo a tua lei! Medito nela o dia inteiro" (Sl 119.97). Davi não fazia uma confusão cheia de sofismas entre lei e liberdade. Por meditar na lei — nas Escrituras, na Palavra de Deus —, era claro para ele que a "libertação do Egito" e a promulgação da lei tinham uma relação íntima. Amar a lei o livrava dos falsos deuses e de uma visão míope da realidade.

Um senso profético nos ensina a esperar e evita que caiamos na tentação de elevar deuses finitos, criados e caídos ao *status* de Deus libertador. Um senso profético nos leva a concluir que bezerros, ainda que de ouro, são só bezerros — ou, dependendo da perspectiva, só ouro.

Pequeno recorte da Igreja brasileira

Quando fazemos um paralelo entre a Igreja visível brasileira de nossos dias e o povo peregrino de Israel, é impossível não notar similaridades. Somos, muitas vezes, os mesmos miseráveis, andando em círculos e murmurando de barriga cheia, mesmo tendo em nossa caminhada alimento que cai diariamente do céu. Somos facilmente entretidos por qualquer pirotecnia que confunda nossa memória e nos faça esquecer da salvação que nos visitou.

A Igreja no Brasil, pelo menos sua parte visível e evangélica, vive em grande monta nos lugares pobres econômica, afetiva, educacional e estruturalmente. Lugares assim, é claro, são alvos sensíveis ao discurso de distorções como a chamada teologia da prosperidade. Logo, tornam-se disputadíssimos pelas várias franquias dessa deformação teológica. Criticar as bizarrices cometidas pelos adeptos da teologia da prosperidade talvez seja um lugar-comum de muitas correntes do evangelicalismo brasileiro. Qualquer organização minimamente ortodoxa verá que, nos ambientes em que ela prolifera, ocorre algo muito estranho e sem relação com um ensino saudável das Escrituras. Um dos piores resultados decorrentes da falta de amor pelo ensino da Bíblia, e também pela instrumentalização desonesta das Escrituras, são as recorrentes histórias de abusos sofridos dentro da igreja. Uma parte considerável das pessoas abusadas — que sinceramente amam Jesus — experimenta total desencanto com qualquer tentativa organizada e institucional de viver igreja.

Outro problema visível nessas igrejas é a prática muito comum dos "votos de cajado", negociada entre pastores e candidatos a cargos eletivos a cada dois anos. Muitos leitores não devem ter ideia de quanto custa, em dinheiro, a oração de um pastor por um candidato no horário nobre do culto, o que induz de forma ultrajante milhares de votos.

Há, ainda, o problema daqueles que persistem em congregar nas igrejas institucionais, que amam Jesus e as Escrituras, mas, infelizmente, não conseguem fazer uma relação entre fé pessoal e atuação social. Isso faz que vivam em uma espécie de "separatismo", com medo de se envolver culturalmente, ou, pior, vendo qualquer relação com a cultura da sociedade como mundanismo. Não é raro perceber que muitos estão perdidos no meio dessa imensa confusão. A relação do cristão com a cultura, por incrível que pareça, ainda é uma pauta muito mal explorada e mal compreendida no nosso senso comum evangélico. Mais do que isso, é um entrave para a unidade harmônica da igreja.

O processo se retroalimenta: por não saber ou não se satisfazer com as lentes que a lei de Deus nos fornece, procuramos a mediação de outras análises idólatras que, por definição, nos põem em oposição aos indivíduos que não enxergam a realidade como ela é revelada — mesmo que sejam nossos irmãos. Essa é a receita para se fragmentar o Corpo de Cristo em diferentes partidos, como acontecia em Corinto (1Co 1.10-12).

A Igreja brasileira, nossa espera e nossas tentações

A volta triunfal de Cristo é uma pauta muito cara para nós, cristãos. Não é meramente um "horizonte utópico de expectativa", como afirmam alguns desencantados: ela é real, literal e marcará o grande dia — o dia da plenitude da nossa libertação. A Nova Jerusalém beijará docemente a terra, num lindo casamento de Jesus e sua noiva. Festa! Mas, enquanto a festa não acontece, há muitos preparativos a fazer. E, enquanto Jesus não volta, a espera, segundo nossos padrões caídos, tem se mostrado demorada demais.

Apocalipse nos revela algo interessante: o apóstolo João, exilado na ilha-prisão de Patmos, é inundado pelo Espírito e tem uma visão dos acontecimentos ligados ao fim dos tempos. Mesmo preso na ilha e, também, na realidade do tempo e do espaço, ele contempla e reporta a consumação dos séculos. Um dos acontecimentos vistos pelo apóstolo chama a atenção por falar justamente sobre espera: "'Regozijemo-nos! Vamos alegrar-nos e dar-lhe glória! Pois chegou a hora do casamento do Cordeiro, e a sua noiva já se aprontou. Para vestir-se, foi-lhe dado linho fino, brilhante e puro'. O linho fino são os atos justos dos santos" (Ap 19.7-8). João vê na eternidade uma noiva adornada, e o que a deixa linda e pronta para o casamento são "os atos justos dos santos". A Igreja, no papel de noiva, se ocupa de fabricar seu vestido enquanto o noivo não vem, antecipando quanto puder, no mundo caído, as realidades do reino de Deus que virá em plenitude. Mais uma vez, o senso profético nos visita, com noção de pertencimento e destino e uma relação afetiva e de obediência à lei de Deus. Estamos sendo tentados pelo príncipe deste mundo, por nossas carências e concupiscências, além de termos dentro de nós uma vocação adâmica para colocar criaturas no lugar do Criador. Quebramos o primeiro mandamento toda vez que fazemos isso.

Nos últimos tempos, muitos irmãos e irmãs em Cristo têm transgredido de forma recorrente esse primeiro mandamento ao manifestar suas preferências político-ideológicas. Não só na época de eleições, mas, a cada pauta geral noticiada pelos meios de comunicação, a discussão vai longe e, muitas vezes, infelizmente, de forma desonrosa e pouco caridosa — em ambientes reais ou virtuais. Em tempos recentes, uma divisão pejorativa que incendiou o Brasil teve sua versão não menos acalorada dentro da igreja: enquanto na sociedade como um todo pegaram fogo os embates de direita *versus* esquerda, progressista *versus* conservador e "coxinha" *versus* "petralha", o mesmo fogo incendiou o universo cristão.

Algo não cheirou bem nesse processo. Foi possível perceber, por um lado, irmãos que, por não se informarem sobre o que acontece no mundo, aumentam a massa de manobra. Por outro, vimos irmãos bem informados, que abraçam com afeto exagerado ideologias finitas, criadas e caídas. Será que isso tem contribuído para o nosso trabalho de deixar o vestido bonito para o dia do casamento? Ou, ainda, podemos dizer que a harmonia e a beleza da unidade da Igreja ficam comprometidas com essas posturas?

Essa questão é grave, pois tem a ver com a manutenção da unidade no Espírito que a Igreja precisa experimentar. A pauta do confronto político-ideológico traz inúmeras subpautas, e todas elas incluem longas discussões acaloradas. Quão conveniente e desejável seria para a Igreja se apropriar de algumas dessas lentes ideológicas para enxergar a realidade? É uma pergunta que muitos cristãos brasileiros considerariam difícil de responder.

É impressionante que, séculos após a Revolução Francesa, ainda somos coagidos a fazer uma leitura dicotômica do mundo. *Você é de esquerda ou de direita?* Pelo menos uma vez na vida, você ouviu ou se fez essa pergunta. É claro que essa coação também visita nossa leitura da Bíblia. O que Paulo, Jesus e os profetas pregaram têm implicações políticas, e isso evidentemente é instrumentalizado de acordo com o "paladar" ideológico de quem lê. Vemos uma versão de Jesus "*yuppie* liberal". Também encontramos facilmente uma variante "anarco-*punk*". Há a opção "Jesus Guevara" e também a do "gênio do empreendedorismo e do *marketing*". Qualquer um pode criar sua variante; basta ser usado por seu ídolo em potencial e correr para fazer síntese com as Escrituras. *Voilà!*, está terminada uma aula de heresia.

Nós, cristãos, acreditamos que o conteúdo da nossa fé é capaz de explicar toda a realidade. Isso necessariamente nos leva a concluir que a dicotomia direita/esquerda não nos cabe, é pequena e tem um surpreendente potencial escravizador. O professor Leonardo Ramos escreveu:

> [O cristianismo] estaria além dessa polarização ao adotar posturas mais à "direita" do que a direta e mais à "esquerda" do que a esquerda, mais "tradicionais" que os tradicionais (com argumentos mais sólidos em defesa da família ou dos valores, por exemplo) e mais "revolucionárias" que os revolucionários (com argumentos mais sólidos na defesa do oprimido, do explorado e do excluído).[1]

A constatação de Ramos é precisa, pois o cristão não cabe na cadeira da direita nem na da esquerda, e a do centro seria muito monótona e também pequena. Dependendo da pauta e do momento histórico, seríamos facilmente confundidos com anarquistas que não prezam pelo reconhecimento das autoridades. Isso aconteceu com Dietrich Bonhoeffer, o santo controverso que planejou um homicídio. Bonhoeffer não só desobedeceu a tudo que o Terceiro *Reich* propunha e significava, como também conspirou contra a vida do próprio Adolf Hitler, entendendo que todas as autoridades são relativas à autoridade divina. Outra pauta e um momento histórico distinto fariam que fôssemos reconhecidos como reacionários fascistas, porque nós, apesar de pluralistas, guardamos profundas reservas quanto à teoria *queer* e sua cada vez mais popular agenda.[2] Teria de ser necessariamente ultrajante para um cristão qualquer tentativa de "revolucionar" alguma pauta de "ordem criacional", como a família. É importante ressaltar que se opor com veemência a algo não significa ser inconveniente, mal-educado e violento, aos moldes da cartilha de *Westboro*.[3] Insisto que nosso ideal é o pluralismo social.

A graça comum derramada na humanidade fez que muitos, mesmo não reconhecendo o nosso Deus trino, fossem gênios, capazes de explicar parte da realidade com grande precisão. Isso é tentador para muitos irmãos, que, ao ingressarem na universidade, foram cooptados por ideologias humanas — e, consequentemente, relativas — para explicar a realidade. Parte da culpa disso é de nossas igrejas, que, por uma série de fatores, não oferece uma relação iluminadora da Palavra de Deus para a realidade criada. Nossos jovens são entorpecidos por recreação pouco instrutiva nas igrejas e vão para as universidades escutar, por exemplo, que a religião é o "ópio do povo". Como eles não acreditariam?

Parte das conclusões de Marx, Von Mises, Engels ou Adam Smith, ainda que brilhantes, podem nos trazer a tentação de analisar toda a realidade de acordo com sua ótica parcial. Isso é reducionismo escravizador. Se o brilho das ideias desses homens não passar por um filtro crítico e bíblico, será do mesmo dourado do bezerro. Não devemos cair no erro do anti-intelectualismo, mas precisamos ter cuidado. Por via das dúvidas, ore para que esse senso profético o inunde com discernimento.

Direita, esquerda e o caminho apertado

Não há dúvida de que a Igreja brasileira está no meio de uma briga ideológica entre esquerda e direita e de que existem argumentos interessantes nos dois lados. Mas algo na atuação dos profetas pode nos iluminar em meio a essa crise oportuna.

Os que se sentam nos bancos do lado esquerdo da igreja têm afiado em seu discurso parte importante do que o profetismo israelita professava. Eles podem declamar, de memória, partes lindas dos escritos dos profetas que nos alertam sobre o cuidado com o pobre, com o estrangeiro e com o refugiado. Conseguem lembrar exatamente em que trechos da Bíblia se encontram as advertências e os princípios para a generosidade, a mordomia e a propriedade privada relativa a Deus — o dono da terra, em última instância. Para esses irmãos, é tentador fazer o que no seu entendimento seria a síntese natural entre as Sagradas Escrituras e as quase sagradas teses sociais e econômica da esquerda histórica.

O que passa despercebido aos cristãos esquerdistas é que os profetas que faziam sérias e justas críticas acerca dos pecados sociais e estruturais eram os mesmos que amavam e faziam conhecidas todas as leis de Deus, todas as ordenanças de ordem moral que não são pauta de parte conhecida do discurso público dos irmãos de esquerda. Inclusive, tem-se visto, de forma cada vez mais comum, uma tentativa de síntese das Escrituras com agendas excludentes com o ensino cristão. Em nome da "justiça", pautas como "casamento homoafetivo", aborto e outras acabam sendo incorporadas a um suposto ensino cristão. No discurso dos adeptos dessa corrente consta sempre a ideia sentimentalista de que "o que importa é ser feliz" e a sentença de que "Deus é amor" — porém, muitos se esquecem de que o amor não é Deus.

Os que preferem os bancos do lado direito da igreja são aqueles que têm o ímpeto de usufruir da liberdade que Cristo nos concedeu com sua morte e ressurreição. Esses se lembram facilmente de todas as partes das Escrituras que soam favoráveis a um estilo de vida empreendedor, livre de amarras estatais e coletivistas por fazer parte do reino. São os que muitas vezes instrumentalizam a lei com um parcial senso profético, esquecendo que nossa liberdade é relativa à vontade do Rei. Esquecem-se do que concluiu Paulo, quando diz que fomos libertados para ser escravos de Cristo e, ao contrário do que possa parecer a um melindroso ouvido pós-moderno, essa "escravidão" é a posição de maior honra que um ser humano pode experimentar — por, paradoxalmente, ser libertadora. Esses irmãos geralmente são tentados a esquecer que, se as Escrituras não falam de coletivismo, falam de coletividade, de comunidade e de mordomia de uma vida sacerdotal em serviço ao próximo. Tudo o que "conquistamos" é relativamente nosso, tudo o que empreendemos com suor e criatividade tem como finalidade a glorificação de Deus, por meio do serviço ao nosso semelhante, por mais que tenha algo de nós.

Os profetas não faziam uma conta excludente entre lei e denúncia da injustiça. Nosso senso profético também não pode nos levar a fazer essa conta. Caso contrário, comprometeremos a harmonia e a unidade entre esses grupos de irmãos, em razão de suas preferências ideológicas e políticas. Para o profeta também era inadmissível amar a lei e ser indiferente às injustiças, em todos os níveis. O nosso senso profético também não pode nos levar a esse contrassenso e nos deixar indiferentes ao sofrimento perto de nós. Sempre o que lemos é a crítica às injustiças acompanhada da denúncia das idolatrias. Esse é o verdadeiro trabalho profético, que tem condições de contribuir para o esforço pela unidade por meio do vínculo da paz.

Nossa resposta a essa dualidade e às dissensões provocadas pela polarização ideológica entre direita e esquerda é a mais bíblica de todas: nossa posição política é *o caminho*. Deus é soberano sobre o caminho, o qual muitas vezes, a exemplo das antigas estradas de terra, pode nos levar a fazer curvas bem para a esquerda ou bem para a direita da nossa limitada perspectiva. O caminho também é apertado, a porta de entrada é estreita e o jeito de entrar por essa porta e andar nesse caminho é bem exclusivista. Não há espaço para outras lentes pelas quais se possa enxergar a realidade — pois elas representam uma ofensa a Deus. "Acaso não há Deus em Israel? Por que vocês vão consultar Baal-Zebube, deus de Ecrom?" (2Rs 1.3).

Nossa oração é que o Senhor nos ilumine com um senso verdadeiramente profético, para denunciarmos e agirmos a fim de sanar as injustiças, amando a lei de todo o coração, meditando nela de dia e de noite e sempre de olhos voltados para a eternidade. Vamos costurar e adornar um belo vestido, pois Cristo vem!

3

IGREJA PLURAL

As tradições em perspectiva

Pedro Lucas Dulci

A falta de relacionamento entre as gerações nas igrejas e a miscigenação de ideologias político-econômicas com o evangelho não são as únicas dificuldades à harmonia no seio do Corpo de Cristo: as próprias tradições teológicas, litúrgicas e denominacionais dos evangélicos são suficientes para dividi-los. Por isso, é preciso lidar adequadamente com uma das características do evangelicalismo contemporâneo: a multiplicidade de tradições e formas de cultuar a Deus.

A riqueza de expressões teológicas e litúrgicas, em si mesma, não é um obstáculo para nossa harmonia, desde que sejamos capazes de desenvolver uma postura pluralista de encarar o relacionamento entre os diferentes modos de ser evangélicos no Brasil. Isso significa, por exemplo, compreender o fato de que os irmãos que experimentam o poder do Espírito Santo por meio da pregação fiel das Escrituras não precisam abrir mão da sua relação com os irmãos dedicados a experimentar esse poder por meio de uma vida carismática — sem mencionar os crentes em Jesus consagrados ao ministério de justiça e misericórdia social, os de valorização das tradições sacramentais e litúrgicas e os voltados à contemplação e à vida de oração plena.

Que tais diferenças são inegáveis em nosso território não resta dúvida. Mas ainda nos falta uma forma adequada de tratar a questão. O que acontece, na maioria das vezes, é um isolamento de cada tradição em seu gueto litúrgico e teológico. Esse isolamento varia;

vai desde a simples separação entre denominações e grupos até algo mais grave, como o não reconhecimento de parte da Igreja de Cristo que se organiza de forma diferente da nossa.

Essa segregação, além de prestar um desserviço ao testemunho do evangelho, simplesmente não faz sentido para nós, evangélicos brasileiros. Em nossa história, são raros os exemplos de cristãos que permaneceram a vida inteira na mesma denominação, que não tenham amigos em outras tradições evangélicas ou que não consumam algum produto do mundo *gospel* que tenha vindo de denominações distintas. Assim, por exemplo, por mais tradicional que você possa ser, com certeza a sua igreja canta alguma música originária do movimento de renovação litúrgica das décadas de 1980 e 1990. Esse é apenas um sintoma do fato de que o evangelho em nossa terra é tão miscigenado quanto o próprio Brasil.

A grande questão é que a simples mistura de tradições não produz harmonia entre elas. No máximo torna alguns contornos doutrinários, litúrgicos e históricos indistintos ou indiferentes, algo que não é bom. As denominações ou grupos teológicos específicos são expressões de uma das características da fé cristã e precisam ser entendidos como tais: são partes de um todo maior do que eles, o que significa que a ênfase que escolheram não constitui o padrão para todo o resto da cristandade. E, se cada denominação é a expressão de uma ênfase particular do cristianismo, de forma alguma se pode dizer que isso é ruim. Trata-se simplesmente de uma parte dos cristãos que se distinguiu pela valorização de um dos aspectos da vida cristã — seja ele qual for. Negar essa pluralidade de ênfases é empobrecer a expressão do evangelho na História.

Uma excelente ilustração dessa dinâmica característica da Igreja são as tribos de Israel. Na época do Antigo Testamento, era impossível se referir ao todo do povo de Deus sem fazer menção das diferentes famílias que o compunham. Deus queria que o seu povo fosse contado e organizado "pelos seus clãs e famílias, alistando todos os homens, um a um, pelo nome" (Nm 1.2). Cada uma dessas tribos tinha bandeiras segundo suas insígnias (Nm 2.2); um lugar correto para ocupar no acampamento israelita (Nm 2.3-31); uma função e uma responsabilidade específica na montagem e desmontagem do tabernáculo (Nm 4.1-33); e um lugar na ordem de marcha das tribos quando o acampamento se deslocava (Nm 10.11-33). Mesmo as duas tribos e meia que quiseram ficar do outro lado do Jordão não o fizeram enquanto não cumpriram todas as suas responsabilidades com as outras tribos (Js 22.1). Ou seja, havia uma consciência do todo em cada uma das partes, uma unidade plural que dava senso de responsabilidade e coesão ao povo de Deus.

Nesse sentido, o nosso problema não são as denominações. A grande dificuldade surge quando individualizamos e consideramos como absoluta qualquer uma dessas ênfases. Quando isso acontece, não é possível mais que exista dependência pelo todo e respeito pelas partes. Justamente por isso, simplesmente misturar as tradições e sonhar com uma igreja ou um movimento de integração que embaralhe e torne confusas essas expressões não é um passo para a frente no esforço pela unidade; pelo contrário. É preciso pensar em um ambiente em que essas diferenças sejam não apenas vividas em harmonia, mas celebradas como expressões da multiforme graça de Deus.

O que precisamos é de uma postura pluralista em vez da unificação uniformizadora.

Essa proposta incomoda muitos evangélicos, pois, no senso comum, o termo "pluralista" é sinônimo de relativização da verdade em prol de um inclusivismo total — típico das teologias liberais, pós-modernas e pós-liberais. Nada mais distante do que pretendemos aqui. A harmonia entre os evangélicos passa por uma relação plural, o que significa, entre outras coisas, tratar as diferentes tradições e expressões litúrgicas evangélicas como *perspectivas.*[1]

Em tudo isso vemos, mais uma vez, a metáfora da orquestra iluminando nosso raciocínio. Nas palavras do teólogo Vern Poythress:

> As diferentes perspectivas, embora comecem a partir de diferentes pontos da revelação bíblica, são, em princípio, harmonizáveis umas com as outras. Nós, como seres humanos, nem sempre veremos a harmonia de imediato. Mas nós adquirimos conhecimentos no processo de tentar ver o mesmo material a partir de várias perspectivas. Nós usamos o que ganhamos de uma perspectiva para reforçar, corrigir ou melhorar o que entendemos por meio de outra. Eu chamo

este procedimento *teologia sinfônica*, porque é análoga à mistura de vários instrumentos musicais para expressar as variações de um tema sinfônico.[2]

A teologia sinfônica é comparável a uma montanha alta e íngreme. Existem vários caminhos para subir essa montanha, mas o que acontece na maioria das vezes é que nos acostumamos a trilhar aquelas rotas turísticas já consolidadas em nosso contexto. Isso nos leva a acreditar que aquele trajeto é o único meio de acesso para conhecer toda a montanha. Claro que isso não é verdade, uma vez que toda montanha esconde caminhos arriscados, penhascos e trilhas emocionantes, que nos dão acessos alternativos ao topo.

A Igreja precisa ser mais unida. Para isso, em vez de os evangélicos encararem suas diferenças internas como obstáculos à unidade, precisam tratar cada uma das tradições como perspectivas ou, ainda, como caminhos que igualmente sobem a montanha. Cada um de nós pode identificar a trilha de que mais gosta ou a que está mais habituado. Todavia, nunca poderemos dizer que conhecemos toda a montanha chamada *cristianismo* se não reconhecermos suas várias rotas de escalada ou se acreditarmos que apenas o nosso caminho preferido traduz a montanha toda.

Pluralismo

Uma questão bastante debatida no campo das metodologias de pesquisa científica é o fato de o objeto de investigação determinar os métodos que serão empregados para conhecê-lo. Em outras palavras, isso significa dizer que nossos critérios, técnicas e objetivos em relação ao conhecimento de algo dependem da constituição do que procuramos conhecer. É impossível apreendermos a dinâmica almejada por Cristo para a sua Igreja sem procurarmos orientação na própria Trindade, ou seja, a unidade e a harmonia da Igreja só podem ser compreendidas no ser de Deus. É totalmente impossível falarmos sobre a harmonia dos diferentes tipos de dons, ministérios e atuações no mundo. Obrigatoriamente, teremos de falar de Pai, Filho e Espírito Santo (1Co 12.4-6). Seria enganoso dizer que conhecemos adequadamente algo sem o fazer em referência ao Deus que o criou.

Assim, nosso objeto de conhecimento ao falar sobre harmonia e unidade da Igreja é a própria divindade trinitária. Essa percepção transforma de maneira radical nossa empreitada. Primeiro, porque a atividade de conhecer Deus é completamente singular, honrada e, de alguma forma, grandiosa demais para nós — desconfie de qualquer um que lhe apresente uma divindade que pode ser explicada e entendida na totalidade pelo seu cérebro caído e limitado. O foco dessa questão é o Deus verdadeiro, vivo e santo. Não poderíamos nem mesmo chamá-lo de "objeto de conhecimento" sem algum constrangimento e inadequação. Trata-se de um ser que, em sua substância, subsiste em três *pessoas*. A conexão entre o sujeito que conhece e o objeto que é conhecido não é simples quando nos referimos ao Criador. Além de existir intencionalidade e relação em ambos os lados, o processo de conhecer Deus é o único em que a relação de poder-saber é invertida. O conhecedor que se aproxima do Deus e Pai do nosso Senhor Jesus não exerce nenhum poder sobre seu "objeto" de estudo; pelo contrário, com muita misericórdia divina, a criatura será tomada pelo Criador e transformada segundo o querer do "objeto" que busca conhecer.

Além disso, na empreitada de tentar conhecer verdadeiramente a Deus, nada é feito no vácuo, isto é, em um reino fora do tempo e do espaço. De fato, nada é conhecido fora de seu contexto objetivo (o lugar que ocupa e a relação que tem com o mundo) e subjetivo (se for uma pessoa, a relação que tem consigo mesma e com os outros). No caso de Deus, essa configuração é tão real quanto em qualquer outra atividade. Tudo aquilo que podemos falar com certeza sobre Deus envolve a compreensão que teremos sobre as suas relações com o mundo que ele criou e com os indivíduos do mundo. Em síntese, não é possível conhecer a Trindade sem conhecer tudo e todos que estão envolvidos nela, como também não é possível conhecer nada nem ninguém sem fazê-lo em relação à Trindade. O Deus que as Escrituras revelam é tanto o criador de todas as coisas quanto o único redentor e juiz de todas as pessoas.

Pensando justamente nessa estrutura, o teólogo John Frame organizou uma metodologia pluralista para conhecermos Deus, o seu mundo e nós mesmos. Aqui fica mais claro o uso que damos ao pluralismo e, consequentemente, a relação plural que a Igreja deve ter. Trata-se de chamar atenção para o fato de que existe mais de um meio de acesso ao conhecimento verdadeiro. Poderíamos dizer, junto com Frame e Poythress, que existem três perspectivas pelas quais tomamos consciência sobre Deus e todo o seu mundo criado — inclusive nós mesmos. Essas três abordagens não são partes do todo que podemos conhecer, mas perspectivas diferentes sobre a mesma coisa. Uma compreensão verdadeira da situação não irá contradizer a compreensão verdadeira de nós mesmos nem do que Deus revelou sobre si em sua Palavra. As três perspectivas coincidem, ainda que sejam caminhos independentes. Justamente por isso, essa metodologia se chama triperspectivismo (ou multiperspectivismo).

Essas três perspectivas nascem do próprio Deus. Buscando compreender quem é a Trindade que rege a harmonia da Igreja, Frame procura resumir em três pontos as diferentes descrições que a Bíblia faz da divindade: o *controle*, a *autoridade* e a *presença* da Trindade.

O primeiro ponto, *controle*, é o favorito de alguns presbiterianos e batistas reformados. Refere-se à soberania de Deus, manifestada em seu controle sobre toda a criação, sobre as decisões humanas e sobre a História. Em vários trechos das Escrituras fica claro que nada está fora do controle da Trindade (Êx 33.19; Is 55.11; Jr 32.17; Lm 3.37-38).

Mas não é só isso. Junto ao controle, encontramos muitas ênfases bíblicas na *autoridade* absoluta que Deus tem também sobre toda a realidade. Toda autoridade foi dada a Jesus. Isso significa que suas ordens não podem ser questionadas. Enquanto controle tem a ver com o poder de Deus, autoridade diz respeito ao direito de Deus fazer tudo de acordo com sua vontade (Rm 4.16-22).

Também precisamos lembrar da *presença* de Deus neste mundo que ele criou. Aqui os irmãos da missão integral e os da ala pentecostal da Igreja entendem do assunto. As Escrituras são claras em afirmar que a Trindade elegeu um povo e o colocou em aliança com ela, o que fez que seu destino, sua história e seus dramas fossem também os de Deus. Trata-se da encarnação, da identificação de Deus com os seres humanos — a teologia do caminho.

Aqui o paradigma é "Serei o seu Deus, e eles serão o meu povo" (Hb 8.10). Deus já não é mais o "totalmente outro", distante de nós; mas o Emanuel, o Deus conosco, que sabe o que é sofrer e, por isso, se compadece de nós.

Assim, dessas três características da Trindade surgiram as ênfases de cada perspectiva. Como bem resume Frame, "... conhecer a autoridade, o controle e a presença de Deus envolve o conhecimento da sua lei, do seu mundo e de nós mesmos. Essa tríade merece alguma análise".[3] Nesse *insight* fica evidente de onde cada perspectiva saiu: a autoridade de Deus, expressa em suas leis, é vista pela perspectiva *normativa*; o controle de Deus em seu mundo criado é visto pela perspectiva *situacional*; as relações de Deus com os indivíduos (em obediência ou em rebeldia) são vistas pela perspectiva *existencial*.

Tudo isso significa dizer que é possível ver a Trindade de três formas diferentes. Uma postura pluralista de enxergar o conhecimento da divindade envolve conhecer as normas, as situações e as existências em relação com Deus. São três portas diferentes para conhecer Deus, para saber quem ele é. Uma nos mostra sua autoridade, a outra nos aponta seu controle e a última enfatiza seus relacionamentos. Não existe primazia entre as perspectivas. Pelo contrário, elas são o mesmo processo, visto a partir de pontos de vista diferentes.

João Calvino, em sintonia com esse pensamento, começou as *Institutas* falando sobre as duas vias de todo o conhecimento verdadeiro: Deus e nós mesmos. Mas, para surpresa daqueles irmãos mais zelosos com a importância que a Palavra de Deus tem nesse processo, Calvino mostra que o conhecimento de nós mesmos é inter-relacionado com o de Deus, de forma que ele não sabia qual vinha primeiro.[4] O desenvolvimento de um sempre acarretará o do outro. Os resultados a que chegaremos sobre a lei de Deus será o mesmo que alcançaríamos conhecendo a situação e a pessoa. Cada uma dessas perspectivas inclui as outras duas, de modo que cada uma cobre o mesmo terreno, porém com ênfases distintas.

Infelizmente, ao longo da história do pensamento essas três perspectivas insistiram em caminhar separadas. Podemos perceber com clareza uma ênfase na importância da lei em algumas abordagens filosóficas, como no caso do filósofo Immanuel Kant. Em outras, é explícito um destaque à perspectiva existencial de lidar com a realidade, como foi com o filósofo Søren Kierkegaard. Ou, ainda, uma atenção exacerbada aos aspectos situacionais e fatores históricos na determinação do que sabemos sobre a realidade, a exemplo do que fez o filósofo Friedrich Nietzsche. Não queremos correr o risco de recair em uma caricatura, mas é possível afirmar que nas ênfases de cada um desses pensadores há uma perspectiva específica — as outras duas quase não têm importância em sua filosofia.

É característica de todo sistema de pensamento não cristão a tendência de idolatrar uma perspectiva em detrimento das outras. Isso acontece justamente porque os pensadores não estão dispostos a encontrar na revelação de Deus um referencial absoluto, fazendo que seja necessário eleger um aspecto ou uma perspectiva como o critério julgador de todo o resto. O resultado é um empobrecimento na forma de enxergar o mundo, dada a incapacidade desses sistemas filosóficos de mostrar como as três perspectivas trabalham juntas.

No exato oposto dessa idolatria filosófica está o pluralismo cristão. Não precisamos contrapor as três ênfases, nem seguir qualquer sistema de pensamento que se concentre exclusivamente em uma delas. Isso acontece porque as três perspectivas nascem da própria Trindade, que as mantêm unidas e trabalhando juntas. Nosso ponto fixo, capaz de mover todo o mundo, é o próprio Deus que, em razão de sua constituição trinitária, mantém tudo em interdependência e reciprocidade.

Por outro lado, em razão da nossa capacidade limitada de conhecimento diante da complexidade da verdade, não podemos conhecer de fato uma esfera sem as outras duas. Isso precisa ficar evidente no trato com nossas ênfases teológicas. Cada perspectiva é um ponto de vista do conhecimento completo possível ao ser humano. É reducionista qualquer sistema de pensamento — inclusive teológico — que desconsidere essa configuração plural da Trindade, do seu mundo e dos indivíduos.

Esse pluralismo se mantém cristão na medida em que não abre mão das próprias condições de possibilidade: a Trindade.

Uma vez que é a partir dela que se extrai toda a epistemologia e ética apresentadas aqui, não faz nenhum sentido incluir nesse pluralismo qualquer expressão teológica ou filosófica que questione as definições estabelecidas nos quatro primeiros concílios da Igreja sobre Cristo, em particular, e sobre a Trindade, de modo geral.

Em perspectiva

Alguém poderia perguntar: o que o conhecimento da verdade e da pluralidade de perspectivas para chegarmos à verdade tem a ver com o esforço pela unidade da Igreja? Tudo! Junto com a disposição de se relacionar e a postura profética, a escolha do pluralismo de perspectivas é a terceira condição incontornável para a unidade harmônica da Igreja evangélica brasileira.

O raciocínio é simples: cada uma das tradições teológicas, litúrgicas e denominacionais dos evangélicos no Brasil pode ser encarada como ênfase em uma das três perspectivas que nos dão acesso ao conhecimento da Trindade. Não precisamos de muito esforço para reconhecer grupos denominacionais inteiros dedicados ao estudo da Escritura como lei moral que se aplica a todas as situações da vida dos indivíduos; ou movimentos de envolvimento situacional, que se comprometem com o mundo enquanto um campo de ação ética e luta por justiça; ou, ainda, igrejas e indivíduos concentrados na atenção a experiências ocorridas sob o poder do Espírito, cheios de oração e plenos de santidade e vida virtuosa, focados na perspectiva existencial da fé cristã.

Todo exemplo possível de alguma dessas três ênfases representa uma tradição teológica, litúrgica e denominacional que se concentrou em uma das perspectivas de acesso ao todo da fé cristã. Ao encararmos essas tradições apenas como grupos de interesse em uma perspectiva, transfiguramos a situação da Igreja brasileira. Em vez de ter motivos para se desunir, ela agora compreende por que cada aspecto da vida cristã é tão importante para sua identidade teológica — a lei, a situação ou a existência. No entanto, ela faz isso sem desprezar os irmãos que enfatizam outra perspectiva.

O teólogo Richard Foster utiliza uma ilustração bíblica muito adequada para abordar o assunto, que podemos aplicar à Igreja brasileira: cada tradição dentro da fé cristã em nosso país é como um rio de água viva que flui dos que creem em Jesus (Jo 7.38). Infelizmente, algumas pessoas pensam que seu rio é o único que fluiu de Cristo. Isso gerou tanto o isolamento teológico quanto o desprezo pela busca de unidade. Como diz Foster, "... o resultado é que vários rios de vida (rios bons, rios importantes) foram afastados do restante da comunidade cristã, privando-nos todos de uma visão equilibrada de vida e fé".[5] Cada uma das tradições teológicas e litúrgicas no Brasil se refere a um aspecto da tridimensional vida espiritual. "É um pouco parecido com o rio Amazonas", lembra Foster, "que ganha força e volume quando os rios Madeira, Negro e Solimões e muitos outros diferentes afluentes acorrem a ele. Portanto, em nossos dias, Deus está formando um poderoso 'Amazonas do Espírito'".[6]

E como essas três perspectivas da Trindade foram cristalizadas em tradições diferentes? Richard Foster as organiza em seis grandes tradições da espiritualidade cristã. Acredito não ser necessário tanto. A divisão em três perspectivas é suficiente para identificar também três ênfases de organização teológica, litúrgica e denominacional. São as clássicas *ortodoxia* (a tradição doutrinária que descobriu a vida na proclamação da Palavra e nos sacramentos), *ortopraxia* (a tradição de justiça social que descobriu a vida na missão compassiva) e *ortopatia* (a tradição carismática que descobriu a vida na oração, na virtude e nos dons do Espírito).

Somente quando esses rios de águas vivas afluírem, teremos o verdadeiro, amplo e rico contorno da ação da Trindade no mundo e nos indivíduos. Precisamos desses óculos de três lentes para pôr em perspectiva nossas formas diferentes de vivenciar a fé cristã. Se tratássemos a mesma questão sob pontos de vista múltiplos, nossos "problemas teológicos" diminuiriam consideravelmente de tamanho. Por exemplo, a irritação que alguns irmãos têm uns com os outros se diluiria se a doutrina da soberania divina fosse vista em relação à responsabilidade humana — e assim por diante.

Se adotarmos uma forma plural de encarar a ação da Trindade no mundo e em sua relação com os indivíduos, teríamos melhores condições de compreender a própria dimensão da vida e da obra do Senhor Jesus Cristo. Nele habita corporalmente toda a plenitude da divindade (Cl 2.9) e, por isso, sua vida é a revelação absoluta do relacionamento harmônico entre as diferentes ênfases da experiência espiritual. Aos seus discípulos foi deixado o imperativo de segui-lo em uma forma de vida dinâmica. Na imitação de Cristo está escondido o tesouro de se viver em um mundo caído mantendo-se em comunhão com a lei de Deus, no poder do Espírito Santo.

4

IGREJA EVANGÉLICA

As heresias tratadas

Igor Miguel

Os cristãos sempre foram muito sensíveis ao tema da unidade. É constrangedor lidar com as incontáveis igrejas e denominações que se assumem evangélicas, principalmente para aqueles que estão no lado mais protestante do cristianismo. Com relativa frequência, católicos romanos responsabilizam protestantes pelas miríades de seitas e denominações identificadas como cristãs. Eles alegam que, ao quebrar a unidade eclesiástica por causa de seu projeto de reforma, os evangélicos se despedaçaram em pequenas seitas e uma enorme quantidade de "portinhas" que se declaram "igrejas". A acusação parece fazer sentido, mas, se considerarmos os fatos históricos, a explosão denominacional evangélica não foi tanto resultado da Reforma em si, mas de outro movimento, ainda um tanto desconhecido para muitos cristãos brasileiros: o chamado Segundo Grande Despertamento americano, ocorrido entre 1790 e 1840.

Esse avivamento se caracterizava basicamente pela ênfase particular em experiências espirituais sobrenaturais, pessoais ou emocionais e por um sentimento teologicamente anticonfessional e primitivista. Dizia-se que cristãos autênticos tinham de superar o nominalismo confessional e abraçar a experiência espiritual ou emocional da conversão. Essa reação teria outros desdobramentos, como, por exemplo, a rejeição, por parte de muitos que participaram do avivamento, a confissões de fé ou catecismos.[1] Não apenas as confissões protestantes foram questionadas, mas a dúvida recairia também sobre os grandes credos clássicos do cristianismo.[2] Tais documentos eram tratados como tentativas de submeter as Escrituras à escravidão denominacional ou à autoridade humana.

A atmosfera era muito persuasiva, e o clima de revolução, independência e formação de uma nova nação reforçava ainda mais o que seria chamado de "edenismo" (palavra que vem de "Éden"), ou seja, a possibilidade de reconstrução do paraíso e de um cristianismo original. Assim, arrebatados por certo romantismo, esses nossos irmãos da primeira metade do século 19 se viram envolvidos na missão de restaurar o cristianismo primitivo, ou, como alguns diziam, restaurar a "Igreja do primeiro século" ou a "Igreja do Novo Testamento".

Infelizmente, o resultado desse sentimento primitivista ou restauracionista e desse rompimento com a confessionalidade das igrejas protestantes históricas foi uma explosão de movimentos, denominações, doutrinas e teologias diferentes. Ironicamente, cada um desses movimentos, inclusive os mais sectários,[3] afirmava ser ele e somente ele a continuidade da Igreja apostólica bíblica e original.

Antes do Segundo Grande Despertamento, as denominações evangélicas não eram tantas, mas, depois, a fragmentação desenfreada foi inevitável. Até hoje, por causa de certo primitivismo e rejeição radical a tudo que é historicamente desenvolvido, muitas denominações continuam se partindo. No Brasil, esse é um fenômeno conhecido por muitos. O teólogo Herman Bavinck tratou o perigo eclesiológico de movimentos com características restauracionistas ou similares nos seguintes termos:

> ... há o perigo de que se perca a comunhão com a igreja de todas as épocas e, portanto, com a igreja da própria época. Esse é o castigo merecido de todas as seitas. Separadas das igrejas e desprezando a teologia, foram privadas de influenciar sua própria época e perderam contato com a cultura de seu próprio tempo.[4]

Ortodoxia e heresia

A falta de confessionalidade resulta em uma espiritualidade e em uma teologia subjetivistas, ou seja, cada indivíduo arroga para si a autoridade de interpretar a Bíblia. A coisa pode ficar ainda mais complicada quando essa leitura intimista se associa a experiências ditas "espirituais". A pessoa se vê no direito de interpretar e aplicar o texto sagrado sem nenhum respeito ao contexto literário, histórico ou cultural em que foi escrito e, tampouco, considera o fato de que tal texto vem sendo interpretado ao longo de quase dois milênios de cristianismo (tradição).

Por outro lado, a pressão por métodos de crescimento e números, a sedução da teologia da prosperidade e outros disparates teológicos em nome da fé evangélica vêm produzindo resultados desastrosos ao evangelicalismo brasileiro. O pior deles é que muitos cristãos evangélicos brasileiros tornaram-se dependentes de experiências, frases de efeito e ambientes emocionalmente estimulantes. Tais igrejas, ao produzirem cristãos rasos no conhecimento das Escrituras e de sua própria história, permitem que eles se tornem presas fáceis de heresias, desvios doutrinários e apostasia.

Seguindo o modelo das "três grandes tradições em perspectiva" apresentado no capítulo anterior, se igrejas históricas tendem a certo formalismo ou a uma ortodoxia morta, por outro lado evangélicos "avivados" tendem à inconsistência doutrinária, tentação que também pode incidir sobre irmãos mais preocupados com o serviço cristão e a justiça social, por exemplo. Uns podem falhar por falta de ortopatia (sentimentos corretos), outros por falta de ortodoxia (doutrina correta), ou ainda por falta de ortopraxia (prática correta). No fim, adeptos de uma das três linhas podem ser considerados irmãos, ainda que vulneráveis ao reducionismo. Em casos extremos, podem se tornar passíveis de correção apologética por causa da prática de heresias ou desvios teológicos de alguma natureza.

A Igreja evangélica brasileira clama por unidade, raízes, identidade e senso de pertencimento e catolicidade. Mas uma interpretação não confessional deve ser levada em conta quando se consideram as causas de divisões e confusão religiosa entre muitos dos que se declaram evangélicos.

Nossa cultura é profundamente marcada por ideias liberais. O projeto iluminista de civilização libertária vem logrando relativo êxito. Nossa sociedade tornou-se alérgica a qualquer noção de verdadeiro ou falso. A atmosfera cultural relativista tem repulsa por todo tipo de critério moral, filosófico ou teológico. O projeto moderno de tornar o ego humano o centro de sentido existencial pesa brutalmente sobre as pessoas, mesmo que elas não tenham tanta consciência disso.

A igreja não está isenta da força cultural de seu tempo. Na verdade, o que vimos nos movimentos primitivistas anticonfessionais nos Estado Unidos, e sua reprodução no Brasil, é a face mais evidente dessa intensificação da fé como uma experiência individual, intimista e hipersubjetiva. Parece óbvio que, em um contexto em que o indivíduo torna-se o centro da experiência da fé, inevitavelmente o senso de comunidade, tradição, história e pertencimento se enfraquecerá. Não deixa de ser irônico o fato de que esse desejo de retomada de uma fé original e primitiva perdida resulte em uma crença mais moderna e neopagã do que se poderia imaginar.[5]

Não seria exagero afirmar que muitas das heresias e dos disparates teológicos surgidos em nome da fé evangélica têm origem justamente em indivíduos, e nem tanto em instituições. Esses tais arrogam a si uma "visão", uma "interpretação" ou uma "revelação" oculta, esquecida ou nova sobre a fé cristã — uma espécie de elo perdido que conduziria as pessoas a uma igreja mais autêntica. O que precisamos diante desse cenário de "verdades privadas" que arrogam a si o cristianismo legítimo? Como discernir quando certos grupos ou denominações estão distantes ou mesmo fora do núcleo de identidade cristã?

No século 2, quando o cristianismo foi ameaçado pela heresia gnóstica,[6] que reivindicava para si certa legitimidade apostólica para propagar seus erros doutrinários, o patriarca cristão Ireneu de Lyon desenvolveu um interessante critério sobre o que "fazem todos os hereges".[7] Segundo ele, são pessoas que não acreditam na unidade de Deus e em sua natureza como Criador de todas as coisas, e que rejeitam o testemunho de toda a Escritura (Antigo e Novo Testamentos), Jesus como o Messias e sua filiação divina. Mas, particularmente, destaca que hereges rejeitam o conhecimento apostólico sobre a "economia da salvação" (o modo como a salvação opera) e o "evangelho" que foi pregado e transmitido "nas Escrituras".

Escritura e tradição: leia a Bíblia bem acompanhado

Segundo Ireneu, herege é aquele que rompe com o que foi transmitido pelos apóstolos, em particular a fé que se funda na compreensão de que "há um só Deus, Criador do céu e da terra, anunciado pela Lei e pelos profetas, e um só Cristo, Filho de Deus",[8] ou seja, o evangelho. Claro que essa é uma versão resumida do que encontramos no Credo Apostólico (século 2), que afirma claramente a fé em Deus como Pai, Todo-poderoso e Criador; na filiação divina de Jesus; na sua concepção por obra do Espírito Santo; em sua paixão, crucificação, ressurreição, ascensão e segunda vinda; no Espírito Santo; na Igreja católica (universal); na comunhão dos santos; e na redenção final dos salvos.

O Credo Apostólico é um resumo do que nos foi transmitido nas Escrituras Sagradas. Serve como referência, em particular, sobre em que os cristãos creem e como creem. O reformador Martinho Lutero dizia que, assim como as abelhas reúnem as doçuras de diferentes flores em único mel, o Credo Apostólico é uma síntese dos "livros dos amados profetas e apóstolos, isto é, de todas Santas Escrituras".[9]

O Credo Apostólico é uma boa referência de ortodoxia cristã, mas vivemos em uma era de questionamento implacável. Pastores, educadores cristãos e pais precisam aprender a explicar a razão de sua fé. Mais do que isso, precisam aprender a arte de superar o que o escritor C. S. Lewis chamava de "esnobismo cronológico", que é o sentimento moderno de desdém por tudo que é tradicional. Por outro lado, a solução também não estaria necessariamente em um saudosismo nostálgico pelo passado, mas na descoberta da "sabedoria que perdemos com o conhecimento", como escreveu o poeta T. S. Eliot.

Encontramos essa sabedoria nas palavras de Jesus: "Por isso, todo mestre da lei instruído quanto ao Reino dos céus é como o dono de uma casa que tira do seu tesouro coisas novas e coisas velhas" (Mt 13.52). Essa é a prudência que nos falta. Não é simplesmente um tradicionalismo, mas a capacidade de responder e discernir o tempo presente (coisas novas) a partir da longa sabedoria que o cristianismo acumulou ao longo de sua história (coisas velhas). Sabedores de que a tradição não é infalível, mas está sujeita aos critérios da verdade bíblica, temos de reconhecer que Deus deu mestres, pessoas com habilidades recebidas do Espírito Santo, para interpretar as Escrituras. Apesar de nosso acesso individual à Bíblia, queremos lê-la com todos os santos de todas as eras, ou, nas palavras do reformador João Calvino:

> Hoje o Senhor deseja que nos apliquemos não somente à leitura pessoal, mas também à audição dos mestres por ele estabelecidos para nos auxiliar nesse mister. E há nisso dupla utilidade. Por um lado, é prova de obediência ouvirmos os seus ministros como se ele mesmo estivesse a falar; por outro, assim o fazendo, Deus leva em consideração nossa fraqueza, pois, mediante seus intérpretes, ele nos fala de modo humano, preferindo nos atrair pelos homens a nos aterrar manifestando sua majestade.[10]

Uma boa experiência de leitura bíblica acompanhada da tradição cristã seria retomar a forma como o cristianismo desenvolveu sua concepção sobre a natureza de Deus. Nossa compreensão da divindade afeta diretamente nossa relação com as pessoas, o mundo e o próprio Deus. Porém, não é apenas uma apreensão cognitiva, mas também como imaginamos ou nos relacionamos com a realidade que experimentamos a partir de Deus — de forma cognitiva, afetiva e prática. Mas qual é a singularidade da fé cristã, ou seja, o que temos em comum que poderia nos aproximar de nossos irmãos de outras tradições? Precisamos de uma plataforma teológica de diálogo e coalizão que seja uma resposta à oração de Jesus: "Dei-lhes a glória que me deste, para que eles sejam um, assim como nós somos um: eu neles e tu em mim. Que eles sejam levados à plena unidade, para que o mundo saiba que tu me enviaste, e os amaste como igualmente me amaste" (Jo 17.22-23).

Trinitários e cristocêntricos

O Credo Apostólico é nitidamente estruturado de forma trinitária, isto é, ele se organiza na revelação bíblica de Deus como Pai, Filho e Espírito Santo. Cristãos podem ter discordâncias em campos da teologia — como soteriologia, eclesiologia e escatologia —, porém a Trindade costuma ser ponto pacífico entre todos os que professam a fé em Cristo. Ela é o maestro da orquestra chamada Igreja. O consenso cristão a respeito da Trindade é tão vigoroso que se tornou, inclusive, uma referência de ortodoxia. Qualquer dissonância ou discordância em relação à Trindade sempre foi encarada como um sério desvio doutrinário, ou seja, heresia. A Trindade, em forma confessional, também é uma espécie de regra de fé, uma referência para discernir quem está mais próximo, mais distante ou fora da cristandade.

A Trindade precisa ser revisitada em suas raízes bíblicas e confessionais; porém, deve ser valorizada não apenas como uma construção teológica ou filosófica, mas como uma doutrina pastoral e devocional que tem relevância sobre a forma como entendemos nossa salvação, a Igreja e nossa relação com o mundo. A Trindade tem profunda relação com o evangelho; por isso, é fundamentalmente evangelical.

Cristãos afirmam que Deus é um, por isso o cristianismo é monoteísta, mas, na natureza una de Deus há uma tríplice relação pessoal entre Pai, Filho e Espírito Santo. Deus é uma comunidade. Não são três deuses, como dizia o patriarca Atanásio, mas um único Deus que se revela nitidamente de maneira tripessoal. Deus não se torna trino; ele é eternamente trino. O amor comunitário e relacional da divindade não é um adendo em sua natureza, mas sim quem ele é e sempre foi. A própria criação do mundo é resultado desse amor intratrinitário.

Moisés pergunta o nome de Deus (Êx 3.13-14), e a resposta vem em forma de verbo em vez de substantivo: "Eu Serei o que Serei".[11] O filósofo Martin Buber tem razão quando diz que "tudo que conhecemos de Deus conhecemos em relação a ele".[12] Essa afirmação está de acordo com a conhecida sentença do teólogo Blaise Pascal, na qual ele diz que essa é a diferença básica entre o "Deus de Abraão, Isaque e Jacó" e o "Deus dos filósofos". O último é um "deus" domesticado, sistematizado e sob supervisão da razão e da lógica. O primeiro é o Deus que causa, mas não é causado, um Deus que se revela, que ama e que se relaciona de modo pessoal e histórico.

O clímax deste teodrama[13] é que, depois de um longo processo de revelação no relacionamento com Israel, agora Deus radicaliza o conhecimento de seu ser no evento da encarnação da Palavra (Jo 1; Hb 1). Nesse caso, a Palavra assume finalmente um substantivo e fornece um conhecimento extraordinário sobre Deus, dessa vez dramatizado no corpo de um filho de Adão: "Ninguém jamais viu a Deus, mas o Deus Unigênito, que está junto do Pai, o tornou conhecido" (Jo 1.18). Ou, ainda: "Eu os fiz conhecer o teu nome, e continuarei a fazê-lo, a fim de que o amor que tens por mim esteja neles, e eu neles esteja" (Jo 17.26).

De acordo com a tradição judaica, o nome de alguém não é apenas um substantivo; é uma narrativa, uma história. O nome de Deus é a sua reputação histórica, que, nesse caso, se radicaliza no drama da própria biografia de Jesus. A vida, o sofrimento, a crucificação, a morte, a ressurreição e a ascensão de Cristo inauguram uma nova comunidade humana, acessada pelo batismo no nome do Deus que se revelou em três substantivos: Pai, Filho e Espírito Santo (Mt 28.19).

Catolicidade e apostolicidade: identidade e missão

A unidade católica (universal) da Igreja encontra sua visibilidade performática no sacramento do batismo. Esse é um evento providencial, que sinaliza a formação de um povo renovado, aliançado e convocado pelo Deus de Israel, que se revelou explicitamente no drama do Novo Pacto (Jr 31.31-33; Lc 22.1-20) como Pai, Filho e Espírito Santo. De fato, todo cristão é batizado em "um só batismo", somos "um só corpo" e "um só Espírito" (Ef 4.1-6). Quando somos batizados "no nome" de Deus, somos imersos (*baptizo*) no drama divino e dele somos revestidos. Assim, o batismo torna-se a *performance* da catolicidade e da evangelicidade cristã. Nas palavras do teólogo Thomas Torrance:

> Sem dúvida alguma, o ensino de Paulo sobre a Igreja como sendo o Corpo de Cristo junto com o batismo em nome do Pai, do Filho e do Espírito Santo fornece as convicções básicas que deram forma à antiga doutrina patrística sobre a Igreja, bem como sobre sua unidade e universalidade [catolicidade][...]. Por meio do batismo a Igreja não existe em seu próprio nome, mas no supremo nome do Pai, Filho e Espírito Santo, por meio de quem ela foi selada. Esta é precisamente

a razão que faz que a Igreja olhe para além de si mesma, faz que ela olhe para sua Fonte e Solo transcendente, na Trindade Santa.[14]

De acordo com outro importante documento de unidade cristã, o Credo Niceno,[15] cristãos creem em uma Igreja que é "católica [universal]" e "apostólica". O teólogo Kevin Vanhoozer vale-se de uma explicação interessante sobre essa dupla característica da Igreja, em sua obra *The Drama of Doctrine: A Canonical-Linguistic Approach to Christian Theology*.[16] Segundo ele, o Espírito Santo opera na Igreja a partir de dois "movimentos" constantes: primeiro, uma força centrípeta, que a atrai para o centro de sua identidade, para a reunião dos santos e sua comunhão ao redor do evangelho de Cristo, a doutrina apostólica e os sacramentos (ceia e batismo). Segundo, uma força centrífuga, que a empurra e a envia para fora de si mesmo, para o mundo, para as pessoas fora de seu círculo comunitário. O primeiro movimento é o que chamamos de "catolicidade",[17] e o segundo é o que chamamos de "apostolicidade".

Catolicidade e apostolicidade não precisam estar em conflito. Há os que se preocupam com a identidade confessional, com o compromisso comunitário, a vida paroquial, a profundidade teológica e doutrinária. Também há os que se preocupam com a relevância cultural, a contextualização, a manifestação de um cristianismo público envolvido com a missão e a missionalidade. Mas nossa tradição nos diz que a Igreja é "católica" e "apostólica": ela é confessional, mas também missionária.

Na catolicidade, a igreja reunida encontra sua identidade no Deus trino, educa-se no evangelho, participa do pão e do vinho diante da presença espiritual de Cristo no poder do Espírito Santo. Ao congregar, cristãos se localizam, lembram de seu lugar no tempo e na História. Assim como as tribos de Israel reunidas ao redor do tabernáculo (Nm 10.35), no culto público a Igreja celebra os grandes atos salvadores de Deus.

Na apostolicidade, cristãos são enviados ao mundo como "ovelhas entre lobos" (Mt 10.16), uma igreja pública e engajada, mas que não abre mão de seu alto compromisso moral com a lei de Deus por meio do evangelho de Cristo. A Igreja, em sua apostolicidade, é aquela que se move a partir do movimento divino: o Pai enviou o Filho, o Filho e o Pai enviaram o Espírito e a Igreja é enviada por Jesus, no poder do Espírito Santo — num movimento impulsionado por Deus, análogo ao que as tribos de Israel faziam quando a nuvem se movia no deserto, o povo desmontava as tendas, os levitas desfaziam o tabernáculo e todos seguiam em marcha missionária pelo deserto rumo à terra de Canaã (Nm 10.36).

Tempo de se reunir e tempo de marchar. Catolicidade e apostolicidade. Se a igreja se concentra e polariza seus esforços apenas na catolicidade, negligenciando sua apostolicidade, corre sério risco de se tornar infrutífera, autocentrada, assumindo características sectárias. Por outro lado, a igreja que se concentra na apostolicidade tende a ignorar sua catolicidade, seu senso de pertencimento, e acaba enfraquecendo sua identidade. Com isso, ela tende a uma conformidade excessiva com princípios culturais não cristãos, como o secularismo, o pragmatismo ou o relativismo cultural — ou seja, torna-se uma igreja que corre sério risco de romper vínculos com a ortodoxia cristã.

Evangelicidade e unidade

A heresia é inimiga da harmonia e da unidade. Ela não é um rótulo de controle ideológico, como alguns supõem, nem uma simples diferença denominacional que precisa apenas ser perspectivada. A prevenção contra heresias é necessária justamente para manter a unidade e a identidade do Corpo de Cristo. A Igreja, ao longo de sua história e, em particular, após a Reforma Protestante, movimentou-se de maneira relativamente orgânica em direção a uma forma mais renovada e transparente de comunicação e vida no evangelho. Esse fenômeno ficou conhecido como *evangelicalismo*.

O historiador David W. Bebbington identifica quatro principais ênfases do evangelicalismo: biblicismo (a Bíblia como única norma da fé), crucicentrismo (foco na obra de Cristo na cruz), conversionismo (crença em que os seres humanos precisam se converter) e ativismo (crença em que o evangelho precisa ser expresso por meio de esforço).[18] Porém, adoto uma definição mais simples, proposta pelo teólogo Alister McGrath. Segundo ele, o evangelicalismo pode ser discernido a partir de temas ou interesses centrais, que são:

> 1. Um enfoque, tanto devocional como teológico, na pessoa de Jesus Cristo, especialmente sua morte na cruz; 2. A identificação da Escritura como autoridade suprema em matéria de espiritualidade, doutrina e ética; 3. Uma ênfase na conversão ou no "novo nascimento", como uma experiência religiosa que transforma a vida; 4. Uma preocupação em compartilhar a fé, especialmente por meio da evangelização.[19]

Ao tomar essas definições como referência, fica evidente que uma das causas da crise do movimento evangélico brasileiro é exatamente a perda de sua identidade evangélica. Em termos gerais, hoje, muitos dos que se dizem evangélicos não sabem mais o que isso significa. O cenário parece ficar ainda mais confuso com a multiplicação de megadenominações neopentecostais, que ostentam em seus programas multimilionários de televisão bíblias, orações e o nome de Jesus em cada "ato de fé". Mas um olhar um pouco mais informado mostra que muitas dessas "denominações" já se colocaram fora do que movia o evangelicalismo clássico e, principalmente, os seus ancestrais na Reforma e no período patrístico da Igreja. Daí a importância de se ter critérios para distinguir entre meras ênfases doutrinárias e o afastamento da comunhão cristã tradicional.

Qualquer iniciativa de unidade cristã, sem romantismo ou utopias idealistas, precisa considerar seriamente um ambiente de diálogo franco e fraterno ao redor de verdades centrais. A unidade cristã não é possível sem um núcleo confessional mínimo e sem um sistema de referências a respeito dos que se colocam à margem ou fora do espectro de verdade evangélica.

Eis algumas referências para a promoção da unidade: uma intensa e profunda retomada da centralidade de Cristo; a realização conjunta de cultos públicos de unidade, a partir de uma expressão trinitária de adoração; a união de cristãos de diversas denominações para pensar e escrever sobre teologia, missiologia, eclesiologia e espiritualidade, a partir de confissões clássicas. A própria experiência evangelical, a partir dos princípios mencionados, pode ser enriquecida por uma visita ao enorme patrimônio teológico da tradição cristã, seja ela recente (após a Reforma), seja mais antiga (anterior à Reforma).

Últimas palavras

É importante reforçar que uma forma de experimentar catolicidade e evitar a heresia e a fragmentação é o interesse amoroso por unidade. Uma postura madura e prática seria localizar-se em sua própria tradição evangelical (qualquer que seja ela: calvinista, anglicana, metodista, batista ou pentecostal) e enriquecê-la em diálogo com outras tradições. Calvinistas podem aprender com a liturgia anglicana; batistas, com a concepção de união mística com Cristo da tradição calvinista; pentecostais podem vibrar de alegria com a ênfase de Lutero na vitória expiatória de Cristo na cruz; luteranos podem manifestar a piedade wesleyana; e anglicanos podem aprender com o fervor pentecostal pela evangelização. Tudo isso amplia nosso senso de unidade cristã e enriquece nossa própria tradição confessional.

Que o Deus trino nos ajude e opere em nós seu evangelho "até que todos alcancemos a unidade da fé e do conhecimento do Filho de Deus, e cheguemos à maturidade, atingindo a medida da plenitude de Cristo. O propósito é que não sejamos mais como crianças, levados de um lado para outro pelas ondas, nem jogados para cá e para lá por todo vento de doutrina e pela astúcia e esperteza de homens que induzem ao erro. Antes, seguindo a verdade em amor, cresçamos em tudo naquele que é a cabeça, Cristo" (Ef 4.13-15).

5

IGREJA CATÓLICA

AS DIMENSÕES DA MISSÃO

Guilherme de Carvalho

O embaraço entre os membros da igreja que pastoreio foi indisfarçável quando começamos a empregar o Credo Apostólico sistematicamente, como símbolo confessional e base para o discipulado em nossa igreja local. Embora alguns irmãos tenham se entusiasmado de imediato, outros se sentiram confusos em um primeiro momento, especialmente ao recitarmos o terceiro artigo: "Creio no Espírito Santo, na santa Igreja católica". Seria melhor usar o termo clássico "católica", de origem grega, ou substituí-lo por sua tradução mais usada entre os protestantes, o termo "universal"? Os sorrisos e os risos sempre se repetiam diante do cômico dilema: qual associação denominacional seria a menos incômoda?

É fato que o termo "católico" se tornou nome institucional da Igreja Católica Apostólica Romana, e isso praticamente extinguiu o seu emprego entre os cristãos evangélicos brasileiros. Essa, porém, não é uma perda aceitável. O termo, uma transliteração do grego *kath'holou*, que significa literalmente "conforme o todo" e, assim, "inteiro", "completo", "geral" e "universal",[1] tem um irrefutável *pedigree*. Ele aparece pela primeira vez nos escritos dos pais apostólicos, mas seu emprego mais importante na Antiguidade — e decisivo para nós — está no Credo Niceno-Constantinopolitano, produzido no Concílio de Constantinopla (ano 381) e aceito por todas as grandes igrejas cristãs para descrever as quatro marcas da verdadeira Igreja: una, santa, católica e apostólica. O termo "católico", por si só, torna esse ponto um artigo de fé, o que nos insta a discutir o assunto.

Mais tarde, o termo foi extensivamente empregado pela igreja medieval, e mesmo a Reforma Protestante não destruiu sua legitimidade. Um exemplo antigo e citado com frequência é o do teólogo William Perkins, que publicou, em 1597, uma obra intitulada *Um católico reformado*, na qual expressou esses instintos de catolicidade.[2] Filipe Melâncton, o principal sucessor de Martinho Lutero, descreveu a Confissão de Augsburgo como "um documento católico", e afirmava que os luteranos seriam parte da "Igreja católica", no sentido de Igreja universal. O teólogo Robert Letham demonstrou recentemente que a busca da catolicidade está claramente presente na construção da Confissão de Westminster.[3] O teólogo Todd Billings apresenta também diferentes exemplos dessa consciência de catolicidade no protestantismo,[4] e a comunhão anglicana, um dos mais importantes ramos do protestantismo e denominação de líderes importantes para a história recente do movimento evangélico — como C. S. Lewis, John Stott, James Packer, Alister McGrath e N. T. Wright —, sempre considerou a catolicidade um aspecto essencial de sua identidade.

Logo, não se trata de meras palavras. A sua fé não pode ser verdadeiramente cristã se não for católica. Jesus era católico, a Igreja é católica, a fé é católica e, por isso, a missão cristã também é católica. Assim, a linguagem teológica da catolicidade é mais uma condição para a unidade harmônica da Igreja. A noção de fé católica tem potencial para superar os desentendimentos sobre as dimensões que a missão da Igreja precisa assumir — relacionando integralidade, retorno à ortodoxia evangélica e avivamento espiritual.

Muitas catolicidades

O emprego mais trivial do termo "católico" visa, sem dúvida, a destacar a presença da Igreja em todo o mundo e o compartilhamento da única fé verdadeira por todos os cristãos. Mas, desde a Antiguidade, o conceito aponta para diversas dimensões da universalidade ao mesmo tempo, o que o torna mais rico e denso. É o que se vê nas palavras frequentemente citadas do bispo Cirilo de Jerusalém, que, no século 4, escreveu:

> A Igreja, então, é chamada Católica porque se espalhou por todo o mundo, de um extremo ao outro da terra, e porque ela nunca cessa de ensinar em toda a sua plenitude cada doutrina que os homens devem ser levados a conhecer: e isso com respeito a coisas visíveis e invisíveis, no céu e na terra. Ela é chamada Católica também porque traz à obediência todo tipo de homens, governantes e governados, eruditos e simples, e porque é um tratamento e cura universal para cada tipo de pecado perpetrado, seja pela alma ou pelo corpo, e possui nela cada forma de virtude que se nomeia, seja isso expresso em atos ou obras ou em cada graça espiritual que se pode descrever.[5]

Catolicidade é, então, universalidade horizontal, geográfica e multicultural, uma referência ao seu alcance em todo o mundo. Mas o conceito também envolve outros níveis de totalidade ou inteireza: todas as partes do Universo, homens em todas as classes ou funções sociais, todos os tipos de curas, todos os tipos de virtudes e toda a plenitude da doutrina. Essa extensão multidimensional nos permitiria falar em "muitos tipos de catolicidades", como nota o teólogo católico Avery Dulles.[6]

Essa "pluricatolicidade" ou "catolicidade multidimensional" poderia ser descrita, numa linguagem missiológica moderna surpreendentemente aproximada, como "todo o evangelho, para o homem todo, e para todos os homens". O que o discurso sobre a "integralidade" do evangelho ou da missão pretende acessar, de um modo nem sempre consciente, é o que as igrejas cristãs chamam, desde a Antiguidade, de "catolicidade". De onde viria essa afirmação tão ampla e totalizante sobre a Igreja e a fé?

A presença e o poder católico de Deus

Deus é, antes de tudo, universal. Deus (e o seu Verbo, Palavra ou *logos*, cf. Jo 1.1-4,9) é o fundamento pessoal e a fonte da inteligibilidade do mundo. Ele concede a vida e estabelece a realidade; logo, não há vida nem contato com a realidade fora dele. Ele é a luz de todos os homens, e toda a luz que os homens podem experimentar vem dele. O apóstolo Paulo escreveu sobre essa suficiência de Cristo: "Pois em Cristo habita corporalmente toda a plenitude da divindade, e, por estarem nele, que é o Cabeça de todo poder e autoridade, vocês receberam a plenitude" (Cl 2.9-10).

Paulo emprega aqui o termo grego *pleroma*, que se traduz por "plenitude", "completude" e "inteireza", mas, também, "perfeição". "Plenitude" é um tema paulino que expressa muito do conceito teológico de catolicidade, como observa Avery Dulles.[7] O apóstolo diz que "toda a plenitude da divindade" está em Jesus — ou seja, que nele Deus é encontrado de forma total e completa, sem que seja necessário complementar-se Cristo com outras fontes ou alegados meios de acesso ao divino. Mas, além disso, ele afirma que nós encontramos nele a nossa plenitude, o que significa que Cristo é suficiente para levar nossa existência ao aperfeiçoamento e à satisfação completa. Em Cristo temos Deus completamente; em Cristo temos a nós mesmos completamente.

Ressalte-se, porém, que a supremacia e a universalidade de Cristo não são reconhecidas por todos. A Palavra estava no mundo, veio ao mundo, mas não foi reconhecida nem pelo mundo nem pelo povo judeu (Jo 1.10-13). Assim, embora a universalidade seja um fato real e divino, é algo polêmico, pois há uma disputa pela catolicidade. Essa disputa, porém, tem data para acabar, como ensina Paulo: "E nos revelou o mistério da sua vontade, de acordo com o seu bom propósito que ele estabeleceu em Cristo, isto é, de fazer convergir em Cristo todas as coisas, celestiais ou terrenas, na dispensação da plenitude dos tempos" (Ef 1.9-10).

Segundo o apóstolo, Deus está fazendo todas as coisas "convergirem", ou serem "encabeçadas", por Cristo. Ao ler esse trecho junto com seu correspondente, em Colossenses (Cl 1.15-20), fica evidente que a *anakephalesis*, ou convergência, não é uma universalização forçada, mas o *reconhecimento* de uma realidade primordial e original. Isso ocorre uma vez que as coisas que estão sendo reconciliadas com Deus, por meio de Cristo, são as que *já tinham sido criadas desde o início por ele e para ele* — cuja subsistência seria impossível sem ele, exatamente como no ensino do Evangelho de João.

O que está incluído nessa convergência cósmica? Todas as coisas, visíveis e invisíveis, nos céus e na terra; todo poder e autoridade; todo joelho nos céus, na terra e até "debaixo da terra"

(Fp 2.9-11). E, uma vez consumada a convergência, o seu propósito último se realizará: "Quando, porém, tudo lhe estiver sujeito, então o próprio Filho se sujeitará àquele que todas as coisas lhe sujeitou, a fim de que Deus seja tudo em todos" (1Co 15.28).

Vê-se, então, como o plano divino se consuma em uma "segunda" universalidade obtida pela cruz de Cristo e para além dessa universalidade na criação — que, embora seja real, anda oculta e contestada. Essa segunda universalidade será patente e inequívoca, com a plenitude de Deus tornando-se maximamente reconhecida, honrada e experimentada.

A afirmação da fé em Cristo implica, então, uma afirmação ampla de universalidade: a plenitude de Deus em Cristo, na plenitude do cosmo, na plenitude de cada um de seus entes. O apóstolo Paulo recorrerá ao fundamento da catolicidade divina, que são os dons espirituais na Igreja: "Há diferentes tipos de dons, mas o Espírito é o mesmo. Há diferentes tipos de ministérios, mas o Senhor é o mesmo. Há diferentes formas de atuação, mas é o mesmo Deus quem efetua tudo em todos" (1Co 12.4-6).

A afirmação "o mesmo Deus quem efetua tudo em todos" mostra que Deus, em Cristo, é a substância da catolicidade. Como é tudo em todos, Deus é a efetividade dessa catolicidade. Portanto, há aqui uma declaração mais sintética da presença católica de Deus. "Todos" é o aspecto objetivo da universalidade, o que significa que nada há na Igreja que se dê de forma autônoma, uma vez que a extensão total dos membros se encontra sob o poder divino. "Tudo" é o aspecto substantivo da universalidade, o que significa que cada obra realizada em cada pessoa e por cada pessoa é obra divina: é a "plenitude".

Mas há, ainda, o aspecto subjetivo na declaração de Paulo no que se refere ao sujeito e fonte dessa plenitude. Embora o apóstolo se refira ao "mesmo Deus" para destacar a unidade que fundamenta a universalidade, sugere ao mesmo tempo nessa unidade uma diversidade divina, pois diz que o Espírito Santo, Jesus e o Pai estão engajados de forma diferente, mas coordenada, na vida do Corpo de Cristo. Assim, os "carismas", ou dons; as "diaconias", ou serviços; e os "trabalhos", ou operações, resultam da presença total e trinitária de Deus — e a unidade divina não elimina a diversidade divina.

Assim, sugiro, como a mais básica declaração sobre o que chamamos de catolicidade: a *plenitude trinitária de Deus, na plenitude universal da igreja, na plenitude do seu ser e de suas obras*. Ou seja: Deus inteiramente presente, universalmente presente e trabalhando em tudo e por meio de tudo o que consiste no ser do seu povo. É a unidade harmônica da Igreja regida pela maestria trinitária.

A catolicidade da Igreja e da missão

Como a catolicidade da Igreja e a da missão são derivadas da catolicidade substancial de Cristo, assumem um caráter multidimensional. Isso pode ser visto, por exemplo, em um dos mais conhecidos trechos missiológicos do Novo Testamento: a "Grande Comissão" apresentada em Mateus. O exame desse trecho permite desenvolver mais extensamente as implicações católicas do cristianismo.

> Então, Jesus aproximou-se deles e disse: "Foi-me dada toda a autoridade nos céus e na terra. Portanto, vão e façam discípulos de todas as nações, batizando-os em nome do Pai e do Filho e do Espírito Santo, ensinando-os a obedecer a tudo o que eu lhes ordenei. E eu estarei sempre com vocês, até o fim dos tempos".
>
> Mateus 28.18-20

Nesses três versículos aparece quatro vezes o termo grego *ta panta*, traduzido aqui por "toda", "todas", "tudo" e "sempre". A utilização dessa expressão transmite a ideia de totalidade e completude. Mas, para compreender exatamente o que significa algo que é "total", precisamos nos aprofundar em alguns conceitos.

Catolicidade cosmológica ou integralidade

O texto bíblico diz que "toda a autoridade" nos céus e na terra foi dada a Jesus. Esse é o cumprimento das profecias messiânicas do Antigo Testamento, como a do salmo 2, e o anúncio da preeminência e da centralidade cósmica de Cristo, a "convergência". O governo de Cristo é, então, universal, ou católico. Dada a natureza cósmica desse reino, que abrange até os céus, é possível falar de uma catolicidade cosmológica: tudo o que há no mundo, a totalidade da vida, está sob o governo de Cristo.

Em sua palestra seminal sobre o assunto, proferida na Faculdade Teológica de Kampen, na Holanda, em 18 de dezembro de 1888, o teólogo holandês Herman Bavinck expôs de forma magistral e ainda contemporânea esse aspecto da catolicidade da fé cristã, que ele descreveu como a "catolicidade interna", aquilo que abrange "a pessoa inteira na totalidade da vida".[8] Com perspicácia, ele observou que o dualismo romanista de natureza e graça — com sua visão da queda da humanidade como mera perda do sobrenatural e da graça como um "extra" ou "complemento" (*donum superadditum*) — destruiu a unidade de criação e redenção e a universalidade da graça, o que permitiu uma autonomia da natureza. Na prática, isso desembocaria em uma dualidade entre as coisas "profanas" e as coisas "sagradas", que obscureceu o poder do evangelho de renovar todas as áreas da vida, e legitimaria uma espiritualidade de "dois andares": um "secular" e outro "espiritual", para usar a linguagem do teólogo Francis Schaeffer.[9]

Segundo Bavinck, a Reforma Protestante se distinguiu, desde seus princípios, por uma recusa desse dualismo. Essa recusa teria encontrado sua maturidade na concepção reformada de que não há autonomia da "natureza" ou do "secular", pois todas as coisas "naturais" são divinas, e todas as áreas da vida são tocadas e renovadas pelo evangelho:

> A Reforma restaurou a uma posição de honra o primeiro artigo da nossa fé cristã universal, e confessou isso enfaticamente: "Creio em Deus Pai, Todo-poderoso, Criador do céu e da terra". Desse modo ela descobriu e restaurou o natural a seu lugar de direito e o purificou do estigma romano de ser profano e não santificado. [...] O natural é tão divino quanto a Igreja [...]. Precisamente porque os protestantes combatem o pecado com mais seriedade que Roma o faz, também são capazes de apreciar melhor a dignidade própria da ordem natural. No protestantismo a relação mecânica de natureza e graça dá lugar a uma relação ética. A fé cristã não é uma realidade quantitativa que se espalha de um modo transcendente sobre o natural, mas um poder religioso e ético que entra no natural de um modo imanente e elimina apenas o que não é santo.[10]

> Aqui [na concepção de João Calvino] o evangelho chega a toda a sua plenitude, alcançando a verdadeira catolicidade. Não há nada que não possa e não deva ser evangelizado. Não apenas a igreja, mas também a casa, a escola, a sociedade e o estado são postos sob o domínio do princípio do cristianismo.[11]

A gloriosa verdade que Bavinck descreve como a catolicidade da fé cristã é a verdade da unidade entre a graça divina e todos os campos da vida "natural" do homem e do senhorio de Cristo sobre o todo da vida; aquilo que Cirilo de Jerusalém descrevera muitos séculos antes como a capacidade do evangelho de curar todas as doenças do homem. Em termos contemporâneos, diríamos que o evangelho diz respeito ao homem todo, a todas as dimensões ou esferas de sua existência. Essa amplitude e suficiência são sua catolicidade cosmológica e antropológica.

Catolicidade social ou universalidade

O alcance cósmico do reino de Cristo, conferido pelo Pai, é o fundamento lógico e moral do imperativo missionário de Jesus: "vão e façam discípulos de todas as nações" (Mt 28.19). Isso nos leva ao segundo uso do termo *ta panta,* "todas": literalmente, "vão e discipulem todas as nações". O governo universal implica um discipulado universal; o partido de Jesus tem como destino a universalização, com a demonstração e o reconhecimento de sua veracidade. Por isso mesmo, todas as nações devem ser introduzidas ao evangelho para tomar o jugo de Cristo. "Todas as nações" refere-se a todos os homens e a cada um deles, sem exceção.

Como destacam os manuais de missiologia, essa destinação universal da fé e da presença do povo de Deus já estava explicitamente declarada na vocação abraâmica, quando o Todo-poderoso determinou que abençoaria, por meio da semente de Abraão, "todos os povos da terra" (Gn 12.3), e foi aprofundada quando o Senhor tirou o povo do Egito para fazê-lo sacerdócio real entre as nações (Êx 19.4-6). Essa revelação primitiva da missão redentora de Deus no mundo (a *missio Dei*) ganhou corpo ao longo da revelação bíblica até atingir pleno florescimento na vinda de Jesus e na inauguração das missões apostólicas, que deram origem à Igreja.

Em termos contemporâneos, podemos dizer que esse nível de catolicidade se expressa, ao mesmo tempo, na discussão sobre o desafio quantitativo de missões urbanas e transculturais e na questão qualitativa da relação entre o evangelho e a cultura onde ele é vivenciado. No que se refere à representatividade global das culturas e nações na Igreja, e das diversas igrejas na comunhão cristã mundial, falamos não tanto da substância da catolicidade quanto da *destinação* universal e global da fé cristã. Ou seja, não é que a Igreja torne-se católica por já ser global ou geográfica e culturalmente universal, mas por ter uma destinação católica: todas as nações devem ser abençoadas pela semente de Abraão. Com toda a certeza, essa forma de encarar a destinação da Igreja torna inoperantes as divisões entre as visões sobre missão que separam os evangélicos. Além disso, ela contribui para pensarmos em uma identidade missional que consiga envolver integralidade, ortodoxia e avivamento espiritual.

Catolicidade confessional ou integridade

A conversão e o batismo devem ser acompanhados de um trabalho integral de educação: os discípulos devem aprender "tudo o que eu lhes ordenei" (Mt 28.20). Aqui encontramos a terceira ocorrência do termo *ta panta* e, dessa vez, com referência à totalidade do ensino de Jesus. Todas as coisas que ele ensinou devem ser transmitidas; a totalidade do seu evangelho deve ser apresentada. É uma totalidade distinta, pois seu foco não é o escopo do objeto da pregação (que é o mundo, a universalidade), mas o escopo do instrumento da ação (o evangelho). Diz-se que ele não pode ser pregado parcialmente ou seletivamente; todas as coisas devem ser comunicadas. A "totalidade", aqui, remete à integridade do evangelho.

A integridade do evangelho evoca o trabalho teológico e também educacional que as igrejas precisam compartilhar, procurando ter a certeza de que não estão ensinando inovações, mas o mesmo evangelho que foi e é ensinado "em todos os lugares". Essa é a razão de ser dos concílios, símbolos e confissões de fé compartilhadas, que ajudam a manter a unidade de crença das igrejas.

Assim, a preservação da clareza e da pureza do evangelho é algo da maior importância, como um pressuposto desse trabalho teológico e pedagógico. Também é essencial que ele seja anunciado plenamente, sem amputações — como escreveu o apóstolo Paulo, que toda a vontade de Deus seja claramente proclamada (At 20.27).

Catolicidade temporal ou continuidade

Há nas palavras de Jesus uma quarta referência à totalidade, que está presente numa promessa: "E eu estarei sempre com vocês, até o fim dos tempos" ou, em outra tradução, "estou convosco todos os dias" (Mt 28.20, RA). Jesus garante com essas palavras que estará sempre com seus discípulos, até o fim dos tempos. "Todos os dias" significa, efetivamente, "por toda a extensão de tempo até a consumação", contemplada por suas unidades menores: o presente que é cada dia, um dia de cada vez. Cristo nos ordenou a não temer o dia de amanhã, pois "Basta a cada dia o seu próprio mal" (Mt 6.34). Ele também nos ensinou a orar pelo "nosso pão de cada dia", no dia de hoje.

Com essa promessa de totalidade, Jesus se refere a uma ocupação divina de nossa história a partir do momento presente e estabelece uma espiritualidade da presença ou permanência contínua. Isso implica considerarmos que todos os tempos ou eras são tempos de Cristo, da igreja e da missão e buscar a comunhão não apenas com as igrejas do presente, mas também com as igrejas do passado.

* * *

Há, portanto, quatro formas distintas de plenitude ou catolicidade: o Universo todo, todos os homens, o evangelho todo e o tempo todo, cada uma com qualidades distintas: o Universo *todo* fala de extensão cósmica e pertencente ao ser; *todas* as nações, de extensão social; *todo* o evangelho, de completude da mensagem; e *todos* os dias ("sempre"), de todos os instantes até o fim dos tempos.

Uma implicação muito importante da natureza holística e integral do evangelho é que a missão cristã tem como uma de suas finalidades trazer à luz o que é universal. Ela faz isso na medida em que expõe as estruturas intrínsecas da realidade — frequentemente enterradas sob a diversidade da existência e da cultura — e traça sua conexão última com o Verbo de Deus.

É preciso recuperar o termo "catolicidade", a fim de contemplar essas quatro totalidades integrais. A missão cristã tem na catolicidade seu destino e efeito necessários, pois ela manifesta a catolicidade do próprio Cristo, na medida em que atua de forma holística e católica. Por tudo isso, ela é uma das condições necessárias para a unidade da Igreja evangélica no Brasil de nossos dias.

A catolicidade do movimento evangélico contemporâneo

A partir dessa compreensão fundamental sobre a catolicidade da Igreja e sua missão, gostaria de propor uma série de possibilidades de reflexão e de renovação espiritual para o movimento evangélico. Minhas sugestões seguem as quatro dimensões de catolicidade (integralidade, universalidade, integridade e continuidade).

Com relação à *integralidade* da missão cristã: será que nosso cristianismo reconhece o significado do evangelho para todos os campos da vida? Em nosso meio é comum ainda encontrarmos formas de dualismo religioso que compartimentam a existência dividindo-a em dois campos: o secular e o sagrado. Isso é visível na mentalidade de igrejas e de cristãos que se dedicam à "vida espiritual" e consideram pecaminoso ocupar-se de coisas "terrenas", como o trabalho, o estudo ou a arte. Mas também encontramos a mesma tendência entre cristãos que, por exemplo, consideram a política um dever cristão, mas obtêm seus princípios políticos de ideologias seculares e, por medo da pecha de "fundamentalismo", recusam-se a considerar as implicações da cosmovisão cristã para os princípios e a prática política. A mesma pergunta deve ser feita em outros campos, pois alguns cristãos dedicam-se, por exemplo, à busca de justiça no mundo, mas consideram cristianismo de "torre de marfim" o dedicar-se, por exemplo, à arte, à ciência, à filosofia, à hospitalidade, à educação escolar, ao jornalismo e à comunicação, como se a "integralidade" se reduzisse à questão da pobreza.

Com relação à *universalidade* da missão cristã: o interesse pela missão transcultural tem sido uma marca positiva do pensamento evangélico, embora o interesse das igrejas possa e deva ampliar-se muito, para que todos os povos sejam atingidos pelo evangelho. Isso se aplica também ao contexto urbano, com seus diversos níveis. Cirilo de Jerusalém lembra que a catolicidade significa que todos os tipos de homens, "governantes e governados, eruditos e simples", são objeto do mesmo evangelho. É o caso, então, de perguntar a nós mesmos: temos nos preocupado em estender a missão a todos os campos da sociedade moderna? Temos, por exemplo, nos preocupado com os policiais, os servidores públicos e a classe científica tanto quanto com os empresários e as donas de casa? Além disso, temos preferência pela classe média e ignoramos moradores da periferia, ou negros, ou brancos, dependendo de nossa ideologia? Temos algo a dizer aos homoafetivos e transgêneros? Temos aceitado ideologias de esquerda que dividem a humanidade em classes ou partidos e nos transformam em apóstolos da luta de classes, em vez de testemunhas do evangelho da reconciliação?

Com relação à *integridade* da missão cristã: convém avaliar se temos pregado todo o conselho de Deus. A preocupação com a integridade da nossa pregação tem sido uma ênfase, por exemplo, dos irmãos americanos ligados ao conhecido movimento *The Gospel Coalition* — como John Piper, Tim Keller, Mark Dever, D. A. Carson e Kevin DeYoung. Embora esses irmãos sejam notoriamente fracos no entendimento da *integralidade* do evangelho (uma força dos neocalvinistas e dos latino-americanos), possuem, por outro lado, mérito inegável no cuidado com a pureza e a clareza da pregação evangélica clássica. Entre tantos aspectos que poderiam ser mencionados sobre isso, cito, em primeiro lugar, a necessidade de restauração do púlpito evangélico. Precisamos de mais púlpitos no Brasil em que ocorra a exposição sistemática da Palavra de Deus, bem como das doutrinas fundamentais da fé cristã. Precisamos, ainda, de uma nova catequese evangélica, para reapresentar os fundamentos da fé aos evangélicos.

Com relação à *continuidade* da missão cristã: as igrejas evangélicas precisam abandonar o espírito primitivista, que ignora a operação de Deus ao longo da história da Igreja, e fazer o movimento de retomada, aquilo a que teólogos católicos e reformados recentemente têm se referido com termos como *ressourcement*, ou *retrieval* ("recuperação"). Trata-se da percepção da continuidade da fé cristã e da Igreja, que nos habilita a honrar, reconhecer e explorar a nossa dívida teológica, litúrgica e institucional para com as gerações passadas da Igreja. Esse sentido de "tradição", que em nada contradiz o *Sola scriptura*,[12] mas ajuda a Igreja a se localizar historicamente, sem destruir sua individualidade.

Segundo o teólogo J. Todd Billings, a catolicidade, como sentido de pertencimento a uma tradição teológica, consiste em, a partir de seu próprio "poço" (como batista, presbiteriano, metodista, católico e pentecostal), cavar com paciência e pôr-se em contato com o lençol d'água mais profundo, que é a grande tradição católica compartilhada por todos: hinos, poesias, tratados teológicos, confissões de fé, obras apologéticas, rituais, comentários bíblicos, modelos de espiritualidade, práticas missionárias e assim por diante. Tudo isso sem dúvida são formas imperfeitas de aplicar a Bíblia a cada época, mas... será que isso não vale para a nossa própria época? E não esteve Cristo com eles, como está hoje conosco?

6

IGREJA APOSTÓLICA
As raízes do Corpo

Guilherme Franco

Na noite de 30 de agosto de 2013, na Praça do Diário, em Recife, tive um encontro que mudaria minha vida e meu ministério. Eu, pastor calvinista, apaixonado pela teologia e pela história da Igreja Presbiteriana, encontrei Geraldo, um morador de rua. Na minha visão, eu seria o canal de transformação daquela situação, pois tinha alguns trocados que poderiam saciar a fome daquele homem por uma noite. Ao me aproximar, deparei com a história de alguém que já vivia naquela calçada havia quatro anos.

Geraldo abandonara a família ao se envolver com uma mulher, que o apresentou às drogas. Em menos de duas semanas, Geraldo já estava entregue ao *crack*, a ponto de gastar todas as economias para suprir seu vício, o da namorada e o de novos "amigos". Certo dia, um traficante foi atrás de Geraldo com uma pistola na mão para cobrar o que ele lhe devia. Geraldo pulou da janela do segundo andar de um sobrado, caiu em cima de um barraco e fugiu com a perna machucada pelas vielas da favela. Encontrou um micro-ônibus que partia para Recife e prometeu ao motorista que pagaria a passagem assim que chegasse à capital pernambucana. Sem dinheiro, apanhou por não cumprir com a promessa e foi abandonado na Praça do Diário, seu novo lar, onde ficaria por quatro anos. Em Recife, ele continuou viciado em *crack*. Seu cartão de aposentadoria e a senha já ficavam com o traficante da região, que lhe repassava o benefício não mais em dinheiro, mas em pedras de *crack*.

Geraldo me contou essa história com lágrimas nos olhos e me fez um pedido que mexeu com minha estrutura: "Por favor, arrume um jeito de me tirar daqui". Fiz uma ligação e consegui uma vaga em uma casa de recuperação a quarenta quilômetros de onde estávamos. Entrei com ele em meu carro e comecei a pensar: "E se essa história for mentira?"; "E se ele me matar?". Já passava de meia-noite, e eu estava com um estranho dentro de meu carro. Por um momento, me arrependi; pensei que talvez fosse melhor apenas ter-lhe entregue uns trocados para comprar um prato de comida e fazer uma oração por ele. Meus pensamentos foram interrompidos pelo choro daquele homem, que, quase sem conseguir falar, disse: "Hoje eu entendo que passei por isso tudo para que, nesta noite, pudesse ter um encontro com Jesus".

Ao ouvir suas reflexões acerca do plano de Deus para sua vida e da importância daquele nosso encontro, percebi que algumas notas de meu ministério estavam desafinadas. Geraldo foi recebido com muito amor naquela clínica. Na volta para casa, notei que o cheiro forte daquele morador de rua permanecera no carro, o odor mais agradável que eu havia sentido nos meus anos de ministério, responsável por equilibrar e afinar as notas destoantes da minha caminhada pastoral.

A Igreja evangélica brasileira tem vivido em dissonância: ou supervaloriza-se a missão intramuros, investindo grande parte de seus recursos e ideias no fortalecimento de suas estruturas, ou supervalorizando as questões extramuros, o que enfraquece a comunhão na igreja local. De maneira similar, observamos outras tensões, como a que existe entre tradição e criatividade. Para que possamos encontrar o equilíbrio ideal entre essas questões, precisamos voltar às raízes da Igreja e enxergar nossa missão de forma holística, a exemplo de nosso Senhor Jesus Cristo.

O conceito de Igreja apostólica

Paulo apresenta as raízes da Igreja quando afirma que os cristãos estão "edificados sobre o fundamento dos apóstolos e dos profetas, tendo Jesus Cristo como pedra angular" (Ef 2.20). Esse ensinamento também é reforçado pela tradição estabelecida a partir do Concílio de Constantinopla, em que se firmou que a Igreja verdadeira tem quatro marcas: "una, santa, católica e *apostólica*". É importante ressaltar que a apostolicidade é tão importante para a unidade harmônica da Igreja quanto os demais atributos. Diversos problemas históricos da Igreja decorrem do isolamento ou da supervalorização de uma dessas características em detrimento de outras.

Em sua etimologia, a palavra "apostólica" deriva de "apóstolo", "aquele que é enviado". Jesus revelou sua vontade aos apóstolos e os investiu de sua autoridade para que fundassem e estabelecessem a Igreja, transmitindo o evangelho ao mundo. Esse ensinamento, porém, não foi chamado de "a doutrina da Igreja". A Igreja Católica Apostólica Romana ensina que a Igreja produz as Escrituras e por isso aceita como palavras de autoridade os escritos dos pais da Igreja, as tradições e até editos modernos. Mas o relato de Lucas demonstra que aconteceu o contrário: foi a pregação do evangelho que deu origem à Igreja. Assim, apóstolos e profetas guiaram a Igreja até Deus completar a sua revelação (Ef 3.5). A doutrina da Igreja primitiva veio dos apóstolos, que, por sua vez, a receberam diretamente de Deus. É imperativo, portanto, que resgatemos o conceito de apostolicidade como direcionador do propósito e da missão das nossas igrejas.

O problema

A Igreja evangélica brasileira vive, hoje, uma realidade desarmônica. A falta de entendimento da missão apostólica tem se refletido em diferentes tensões e desequilíbrios, em geral expressas por meio de dicotomias. Curiosamente, esses problemas, em sua essência, muitas vezes refletem a filosofia dualista herética do gnosticismo, que supervaloriza o invisível em detrimento do visível.[1] Conceitos similares parecem permear a Igreja evangélica brasileira, onde há a tensão entre missões intramuros *versus* extramuros, tradição *versus* criatividade, dentre outras questões em que, aparentemente, há um jogo de soma-zero, isto é, a valorização de um ponto leva necessariamente à desvalorização dos demais. Devemos nos esforçar para reafirmar a tradição, conscientes da amplitude e da profundidade do ensinamento histórico da Igreja.[2]

Da mesma forma, também devemos nos esforçar para evitar que questões tradicionais tornem-se dogmáticas e prejudiciais à missão da Igreja. Um dos próprios lemas clássicos utilizados por reformadores é *Ecclesia reformata et semper reformanda est* ("A Igreja é reformada e está sempre se reformando"), ou seja, respeitar a tradição reformada implica criar um ciclo de retroalimentação, frequentemente revisando o que de fato faz parte da tradição. Isso não significa que basta buscar a mudança a todo custo, ou que o novo sempre é melhor. Revisar não quer dizer obrigatoriamente mudar. Além disso, como afirma o reverendo Augustus Nicodemus Lopes, é necessário que estejamos conscientes de que "o agente da reforma é o Espírito de Deus, promovendo o crescimento e a compreensão das Escrituras a cada nova geração, sem com isso admitir que a verdade muda".[3]

Embora haja exceções, não é comum observarmos igrejas históricas apoiarem pequenas igrejas surgidas a partir delas. Os fundamentos teológicos e doutrinários das igrejas históricas deveriam ser tesouro de grande valia para toda e qualquer igreja que surge a partir delas. No entanto, muitas vezes, essas igrejas, também chamadas de "tradicionais", em vez de dar suporte a essas novas igrejas, acabam se comportando de maneira aristocrática. Por exemplo, interferindo em questões meramente estéticas, que não estão relacionadas a doutrina. Ora, o que deve ser obedecido e respeitado é o princípio da doutrina e o padrão da confissão de fé. Assim, em questões que não são essenciais, é necessário haver liberdade, no que diz respeito a ter uma identidade singular, uma realidade contextualizada e padrões estéticos criativos.

Ainda com respeito ao zelo excessivo pela tradição, há igrejas fundamentalmente democráticas e representativas que se comportam como aristocráticas, no que se refere ao seu modelo de gestão. Isso pede uma reflexão crítica, pois a denominação existe para servir às igrejas locais, e não o contrário. A criatividade é algo que precisa ser incentivado pela denominação, pois a igreja reflete um Deus que, em sua essência, é criativo. Jesus foi extremamente criativo: comunicava-se com a multidão por meio de parábolas, utilizando eventos cotidianos para exemplificar sua mensagem e gerar uma atitude reflexiva em quem as escutava. Ele exortava os fariseus, consolava os desprezados e trazia uma mensagem nova de amor e de graça.

Temos visto grande desencorajamento à criatividade e um engessamento por parte das igrejas tradicionais em relação às pequenas igrejas locais, o que gera desarmonia intereclesiástica. A tradição pode ser mantida em termos conceituais e não necessariamente em termos estéticos. Não há outro jeito de ver a teologia, a não ser baseado na confissão de fé. Isso é manter a tradição. O teólogo Timothy Keller, em seu livro *Igreja centrada*, descreveu bem essa realidade:

> Os pastores em contextos urbanos têm dificuldade de relacionar a base doutrinária e a modalidade ministerial de modo significativo. Existe uma tendência ou de supercontextualizar em relação à cidade (o que geralmente causa enfraquecimento ou relativização do compromisso da igreja com a ortodoxia) ou de subcontextualizar (o que resulta em igrejas fechadas em si mesmas, que alcançam apenas certos tipos de pessoas, mas não conseguem formar um movimento em torno do evangelho na comunidade). A qualidade da visão teológica normalmente determina a vitalidade do ministério.[4]

Por outro lado, como resultado da frustração de não contar com o apoio de igrejas históricas e tradicionais, igrejas surgem sem os fundamentos teológicos e as bases fundamentalistas, em nome do *novo*. Isso é um erro, pois não se pode negar a História, os feitos do Espírito Santo e a tradição em nome da criatividade. A criatividade é importante na forma como a mensagem é apresentada, por isso é saudável no ambiente estético. Não se deve, porém, sacrificar o conteúdo, a base apostólica que fundamenta a missão cristã. Igrejas novas devem estar dispostas a manter a harmonia e o vínculo da paz com as tradicionais, e vice-versa. Como escreveu com sabedoria o teólogo Jaroslav Pelikan: "A tradição é a fé viva do morto; o tradicionalismo é a fé morta do vivo".[5]

Não são poucas as pessoas que se identificam hoje como "desigrejados" ou "evangélicos não praticantes", mesmo sem abrir mão de seu trabalho social em uma ONG e sem deixar de acompanhar a transmissão *on-line* de um culto ou de visitar de vez em quando um pequeno grupo de oração. Muitos atualmente dissociam Cristo da igreja institucional. Hoje em dia é comum afirmar que "a igreja é simplesmente uma instituição humana e que em sua origem não era assim", pois a igreja era percebida e proposta. Porém, vemos o apóstolo Paulo afirmar, em diversas ocasiões, a Igreja como o próprio Corpo de Cristo. Há uma crise eclesiológica na percepção do que é a Igreja de Cristo. Precisamos resgatar essa visão, reforçando a importância da missão *intramuros* das nossas igrejas.

Deus trata conosco em termos de coletividade desde o princípio dos tempos, no ato da criação de Adão e Eva. Isso não significa que o Senhor esteja despreocupado com indivíduos, mas vemos repetidamente na Bíblia Deus falar em termos de povo, comunidade.[6] Mesmo ao estabelecer pactos por meio de indivíduos, como Abraão e Moisés, o foco é sempre no plural, como também vemos nas palavras de Pedro:

> Vocês, porém, são geração eleita, sacerdócio real, nação santa, povo exclusivo de Deus, para anunciar as grandezas daquele que os chamou das trevas para a sua maravilhosa luz. Antes vocês nem sequer eram povo, mas agora são povo de Deus; não haviam recebido misericórdia, mas agora a receberam.
>
> 1Pedro 2.9-10

Portanto, como Igreja apostólica que somos, precisamos resgatar a importância da vida em comunidade. O Corpo de Cristo é essencialmente ligação, e não independência. O apóstolo Paulo deixou claro que, quando um sofre, todos sofrem (1Co 12). Não há vida cristã desvinculada do Corpo. A maior simbologia disso é o casamento. A Igreja é a noiva de Cristo. Não existe a possibilidade de um casamento saudável se o marido não quiser saber da esposa. O que sustenta o casamento é o compromisso, a aliança feita diante de Deus. O compromisso não é com o cônjuge; é com Deus.

Estamos observando uma nova prática, mas existe uma miséria conceitual. Temos de voltar à eclesiologia, resgatar o que é ser Igreja a partir dos fundamentos — que saltam das Escrituras. Há um afã tão grande de se estabelecer uma nova prática ministerial e missional que os fundamentos acabam desprezados. Está em curso uma deterioração progressiva, que precisa ser interrompida pela adoção do direcionamento inverso. O desigrejado é justamente fruto da fragmentação conceitual da igreja, da individualização da eclesiologia. É uma quebra de harmonia, do vínculo da paz. Viver a realidade de uma igreja local é permitir-se ser confrontado constantemente, o que gera uma genuína mudança de caráter.

Refiro-me à igreja local que se reúne em determinado lugar e que exulta na cruz de Cristo; que canta músicas a um Deus santo e amoroso; que tem oficiais, boa pregação, celebra os sacramentos, exerce disciplina e recolhe ofertas. Essa é a igreja que combina liberdade e forma na adoração coletiva, que tem pessoas jovens e velhas, tipos alternativos e viciados em corridas de carros, pessoas que buscam Deus e as que se dedicam fielmente a uma causa, uma igreja que provavelmente tem boletins e regras. A igreja que amamos é tão falha e suja quanto nós, mas ainda assim é a noiva de Cristo.[7]

Ao ser questionado se era realmente necessário frequentar e ser membro de uma comunidade cristã para viver de modo cristão, o escritor C. S. Lewis respondeu da seguinte maneira:

> Esta é uma pergunta que eu não posso responder. Minha própria experiência é que logo que eu me tornei um cristão, cerca de quatorze anos atrás, eu pensava que poderia me virar sozinho, me retirando a meu quarto e lendo teologia, e não frequentava igrejas ou estudos bíblicos; e então mais tarde eu descobri que era o único modo de você agitar sua bandeira; e, naturalmente, eu descobri que isso significava ser um alvo. É extraordinário quão inconveniente para sua família é você ter de acordar cedo para ir à igreja. Não importa tanto se você tem de acordar cedo para qualquer outra coisa, mas se você acorda cedo para ir à igreja é algo egoísta de sua parte, e você irrita todos na casa. Se há qualquer coisa no ensinamento do Novo Testamento que está na natureza de mandamento, é que você é obrigado a participar do sacramento, e você não pode fazer isso sem ir à igreja. Eu não gostava muito dos hinos, os quais eu considerava poemas de quinta categoria com música de sexta categoria. Mas na medida em que eu ia, via o grande mérito disso. Eu me vi diante de pessoas diferentes, de aparência e educação diferentes, e meu conceito gradualmente começou a se desfazer. Percebi que os hinos (os quais eram apenas música de sexta categoria) eram, no entanto, cantados com tamanha devoção e entrega por um velho santo calçando botas de borracha no banco ao lado que você

percebe que não está apto nem sequer para limpar aquelas botas. Isso o liberta de seu conceito solitário.[8]

Se o projeto eclesiástico *intramuros* é importante, torna-se danoso pensar na possibilidade de viver um evangelho saudável desconectado do trabalho *extramuros*. Nossa frieza ao olhar os problemas sociais ao nosso redor e o nosso não envolvimento com os mais necessitados não é apenas desobediência. Essa frieza revela que existe algo muito errado, desafinado, com nosso coração e nosso relacionamento com Deus, pois a vontade dele também deveria ser, naturalmente, a nossa.

O Senhor afirmou, por meio do profeta Isaías: "O jejum que desejo não é este: soltar as correntes da injustiça, desatar as cordas do jugo, pôr em liberdade os oprimidos e romper todo jugo? Não é partilhar sua comida com o faminto, abrigar o pobre desamparado, vestir o nu que você encontrou, e não recusar ajuda ao próximo?" (Is 58.6-7). O jejum, no contexto histórico do povo de Israel, era uma observância religiosa, sinal de arrependimento e humilhação. Isaías chama a atenção do povo de Israel, pois havia algo desconexo na busca ou forma de adoração daquele povo ao Deus vivo. Isaías queria que os israelitas entendessem que a piedade com os mais necessitados é tão espiritual quanto o jejum, as observâncias religiosas e a adoração. Pessoas que, em sua maioria, não fazem parte da nossa comunidade de fé, pois ainda não foram vistos, seja por ainda não os termos encontrado, seja talvez por não querermos encontrá-los. Esse tipo de atividade costuma demandar muito do nosso tempo, recurso e vigor, que em geral já se encontram em quantidade limitada para usarmos em nossa missão *intramuros*. Jesus mesmo tinha uma dinâmica com os mais necessitados (Mt 25.35-46), o que evidencia que Isaías estava correto em sua condução como profeta ao tentar abrir os olhos dos religiosos de seu tempo.

O reverendo Martin Luther King era rechaçado no círculo acadêmico pelos próprios pensadores cristãos ortodoxos por buscar justiça social contra a segregação racial dos Estados Unidos. Ele incomodava aqueles teólogos. O que eles não entendiam é que King, ao lutar por essa justiça, estava sendo o mais ortodoxo possível: os negros merecem respeito, todos são iguais, à imagem e semelhança de Deus. Ele era um ortodoxo integral. É emocionante saber que um marco histórico da segregação racial dos EUA começou não no Congresso, mas nos púlpitos de uma igreja e, depois, se espalhou pelas ruas daquele país. Anteriormente, também na questão racial, observamos a vida de William Wilberforce, que liderou a luta contra o comércio de escravos no Parlamento inglês, atuação que resultou no Ato contra o Comércio de Escravos.[9]

Hoje em dia vemos muitas igrejas estimularem seus membros a ter atitudes altruístas. Acredito que atitudes não sejam o suficiente; o importante é ir além, formando doutrina e cultura cristãs. Ao enfatizar a necessidade do envolvimento *extramuros* da Igreja, precisamos entender nosso papel na busca por resplandecer Jesus em tudo o que fazemos. Isso implica o cuidado em não perder a essência e a motivação correta de nossas ações.

A professora Judith Lichtenberg escreveu no jornal *The New York Times* que a visão de que "as pessoas nunca agem intencionalmente para beneficiar os outros, exceto para obter algum bem para si mesmo",[10] ainda é bastante prevalente na forma como pensamos. A ideia de que os seres humanos estão sempre motivados pelo egoísmo é chamada de "egoísmo psicológico." Egoístas psicológicos acreditam que mesmo que uma ação seja aparentemente altruísta, ela é, em última análise, feita por direto ou indireto ganho pessoal. A possibilidade do verdadeiro autossacrifício, sem receber nada em troca, é completamente descartada. Embora as pessoas em geral não usem esse termo conscientemente, muitas vezes demonstramos acreditar no egoísmo psicológico por dois motivos: 1) Como os economistas dizem, todo ser racional se comporta em seu próprio autointeresse; 2) como o cristianismo ensina, os seres humanos caíram, e são propensos ao egoísmo. Nós precisamos agir com base na Palavra de Deus, essa Palavra que mostra um Deus compassivo com os vulneráveis.

A igreja saudável

Nosso esforço voltado a chamar a atenção para a apostolicidade da Igreja faz parte de uma tentativa de afinação entre a importância da ortodoxia, da história da Igreja e suas raízes com os trabalhos eclesiásticos, que vão muito além dos cultos dominicais. Tenho vivido isso, no processo de plantação de uma igreja em Recife, que tenta se pautar pelos conceitos discutidos neste e nos demais capítulos deste livro.

Uma igreja saudável, a nosso ver, é uma igreja equilibrada, harmoniosa, que precisa manter três princípios para seu bom funcionamento: doutrina, comunhão e expansão. Nas Escrituras, observamos que os apóstolos e Jesus agiram em favor dessas três perspectivas:

> E disse-lhes: "Vão pelo mundo todo e preguem o evangelho a todas as pessoas".
>
> Marcos 16.15

> Que o Senhor faça crescer e transbordar o amor que vocês têm uns para com os outros e para com todos, a exemplo do nosso amor por vocês. Que ele fortaleça o coração de vocês para serem irrepreensíveis em santidade diante de nosso Deus e Pai, na vinda de nosso Senhor Jesus com todos os seus santos.
>
> 1Tessalonicenses 3.12-13

> Atente bem para a sua própria vida e para a doutrina, perseverando nesses deveres, pois, agindo assim, você salvará tanto a si mesmo quanto aos que o ouvem.
>
> 1Timóteo 4.16

Nenhuma das três perspectivas se sobrepõe ou se destaca sobre as outras: é um processo sinfônico. Assim, na realidade ministerial, uma igreja saudável deverá buscar dedicar-se com a mesma vitalidade e o mesmo empenho a manter a ênfase necessária nessas três perspectivas. Em relação à ortodoxia, não é necessário, portanto, romper com as denominações mais tradicionais, pois os princípios da doutrina e o *standard* da confissão de fé são mantidos. Estabelece-se o vínculo da paz entre a igreja local e a tradição: a ortodoxia é mantida e a identidade e a criatividade são incentivadas.

No tocante à comunhão entre os irmãos, investir na vida compartilhada de casa em casa pode ser uma boa prática (cf. At 2). Os *grupos de relacionamento*, como são chamados os "grupos pequenos" em nossa igreja, funcionam semanalmente e estão se multiplicando. Nessa maneira de trabalhar, observamos o pastoreio mútuo, a prestação de contas, o relacionamento e a unidade dos membros de nossa igreja.

Em relação à missão *extramuros*, que diz respeito ao princípio da extensão do reino de Deus, seria importante investir arduamente nossos recursos e energias no local onde estamos inseridos. Não existe uma cidade do Brasil em que a igreja não seja vizinha de comunidades que, infelizmente, têm índices de desenvolvimento humano lamentáveis. É católica a luta por melhorias, a fim de trazer o mínimo de dignidade a seus moradores por meio de algumas frentes.

Em nosso caso, por exemplo, atuamos, na área de educação, em uma comunidade chamada Pilar, com projetos de capacitação para alunos de baixa renda, para que eles entrem nas escolas técnicas de Pernambuco. Também oferecemos curso de alfabetização de adultos e um projeto para crianças que funciona no contraturno escolar, voltado para o incentivo à leitura — por meio dessa iniciativa, oferecemos, além dos estudos, entretenimento, lanche e acompanhamento para toda a família do aluno beneficiado. Além dos projetos voltados para a educação, oferecemos curso de música, aula de jiu-jítsu e um núcleo jurídico composto de advogados que fazem parte de nossa igreja. O que alegra o nosso coração é que a maioria desses projetos subsiste por iniciativa voluntária de irmãos e irmãs da igreja, que dispõem do seu tempo, vigor e até mesmo de seu dinheiro para ver a expansão do reino de Deus.

Um dos versículos bíblicos mais claros sobre a dinâmica da igreja em seu princípio é: "Eles se dedicavam ao ensino dos apóstolos e à comunhão, ao partir do pão e às orações" (At 2.42). A apostolicidade explícita na doutrina da Igreja era a base e fazia parte da vida e da compreensão de toda a comunidade de fé — uma fé firmada em Cristo que causava transformação. A *comunhão*, aqui, não significa apenas "estar juntos", mas "ter em comum", uma referência ao compartilhamento de bens materiais praticado na Igreja primitiva. O "partir do pão" é, provavelmente, uma referência às refeições regulares, mas, no final de cada refeição, é bem possível que fizessem uma pausa para se lembrar de Cristo celebrando a Ceia do Senhor.

Nossa oração é que a Igreja atente para esses valores tão importantes, resgatando a simplicidade da Igreja primitiva, a fim de que a apostolicidade seja uma marca diferencial entre as comunidades humanas.

7

IGREJA DEMONSTRATIVA

RENOVANDO AS CULTURAS

Marcos Almeida

Era manhã de sábado quando embarquei no confortável ônibus que ia de Vitória a Teixeira de Freitas. A longa viagem que começa na capital do Espírito Santo e vai até a jovem cidade baiana oferece aos seus passageiros oito horas de belas paisagens, muitas paradas, encontros inesperados e, naquele dia, uma pequena epifania sobre a instigante relação entre Igreja e cultura.

Logo que encontrei minha poltrona, acomodei-me confortavelmente, a fim de fazer o que mais gosto nas viagens: abrir as cortinas e apreciar as incontáveis belezas da estrada. Mas a decepção foi imediata. Havia uma mancha escura bem no centro da janela! Que absurdo! Numa rápida investigação, veio a primeira suspeita: aquilo deveria ser uma goma de mascar premeditadamente espatulada no vidro por um bárbaro desconhecido. Indignado ao extremo, procurei alguma coisa que me ajudasse a retirar aquela mancha inconveniente. Mas não encontrei nenhum pano, papel, pedaço de plástico... nada. Foi aí que olhei para a cortina e disse: "É você mesma". Ao puxá-la discretamente, de modo que nenhum vizinho ali percebesse a minha falta de etiqueta, veio o segundo baque. Confirmei horrorizado que aquela mancha vinha de um chiclete rosa, que estava todo esticado nas bordas da cortina — a prova irrefutável do crime.

De mãos atadas, resolvi ignorar aquela mancha e tentei por alguns minutos curtir a paisagem, isolando o centro escuro da janela e focando apenas o lado esquerdo dela. Não deu certo e fui dormir contrariado. Algum tempo depois, veio uma luz! Corri até os fundos do ônibus, entrei no estreito banheiro e peguei algumas toalhas de papel. Depois de molhar levemente parte delas, guardei meu plano no bolso e caminhei devagar até o meu assento. Assegurei-me de que nenhum dos outros passageiros estava, em algum canto, seguindo aquela cena patética e comecei a esfregar a grande janela de vidro com vigor, com a destreza típica de um flanelinha que limpa para-brisas no sinal. Para a minha alegria, a mancha começou a sair! Aquilo me empolgou tanto que esfreguei toda a janela com mais gosto. Já não importava se alguém estava me olhando; afinal, o vidro estava ficando limpo! Que maravilha! A grande janela de vidro voltou a ser transparente.

Logo que a adrenalina passou, mais consciente do que havia acontecido, surgiu a pergunta: por que eu fiz isso? Bem... fiz isso porque já andei de ônibus antes, e inúmeras vezes pude experimentar a beleza da jornada sem aquela mancha. Alguma coisa estava errada, era evidente. A memória denunciava!

Esse caso corriqueiro aponta para um aspecto da nossa apatia em relação à cultura: o evangélico perdeu a memória! Esquecidos de como deveria ser o mundo, nos desencantamos com a vida. Comecei a pensar: tantos de nós talvez acreditemos que a jornada sempre foi assim, e assim será, como se a mácula constituísse a própria paisagem. Muitos perderam o vínculo com a história cristã, que há dois mil anos tem buscado demonstrar a obra redentora de Cristo dentro da cultura. Não podemos ler a vida sozinhos; temos a preciosa companhia dos mestres que já olharam o mundo antes de nós.

Rua

Quando encontrei a Igreja evangélica, os irmãos mais experientes contavam que durante boa parte do século passado muito se discutiu sobre quais instrumentos musicais poderiam fazer parte da liturgia cristã. Estávamos na virada do século, e eu entrava pela primeira vez numa igreja batista. Era 1998, e ainda dava para ver os escombros da guerra. Ex-combatentes da renovação passavam horas dando testemunho de como eles enfrentaram presbitérios inteiros, pastores retrógados e líderes insensíveis, convencendo-os a abrir caminho para a bateria e a guitarra elétrica nos cultos. Quase vinte anos depois, lutar por isso na maioria das comunidades cristãs brasileiras não faz sentido algum. Hoje essa causa é uma batalha vencida! A diversidade litúrgica é uma realidade. Nos grandes centros urbanos e até mesmo no interior do país, você pode encontrar de tudo: de liturgias clássicas, com hinários tradicionais, a cultos animados pelo ritmo paraense do *calypso*!

A diversidade litúrgica não é em si um impedimento para a nossa harmonia. A questão agora é outra, como já veremos. Mas, antes, pergunto: é necessário ainda hoje debater se um ritmo é mais santo que outro para o culto cristão contemporâneo? Tenho consciência de que, para muitos evangélicos, alguns ritmos seguem demonizados, e ainda existe um restrito grupo de líderes mais apegados ao gosto pessoal que ao princípio teológico apresentado no Novo Testamento — que fundamenta a comunhão e a celebração cristãs. Minha questão é anterior a essas preferências. Qual é esse princípio de fundamentação das celebrações cristãs? O pão e o vinho, a ceia, Cristo como centro, sua carne e seu sangue. E tudo o que acontece visa à edificação dos irmãos, não importa em qual embrulho vem o conteúdo — o que interessa são o fundamento e o propósito.

Faço esse pequeno histórico para apresentar uma tese. Se as liturgias, barulhentas ou silenciosas, não são impedimento para a nossa harmonia, o que então seria? Como as liturgias não acontecem num vácuo, todo culto acontece dentro de uma cultura; nenhuma liturgia está hermeticamente fechada em si mesma. Abordar o tema culto/cultura é muito mais que uma discussão litúrgica! Já estamos em pleno século 21, e tanto os vitoriosos ex-combatentes quanto os novos que chegam todos os dias à fé cristã têm hoje outra luta: conectar o vigor do templo com a maneira de ser da rua! Enfrentar a realidade de que a rua é para o templo o seu testemunho. A rua é sinal, é demonstração, é o mais completo testemunhal de como andam as coisas no templo.

Entender o culto cristão é importante? Sim! Mas é urgente a necessidade de reconhecer que o evangelho não tem uma boa notícia apenas para as nossas reuniões eclesiásticas. Podemos perguntar, por exemplo, o que ele diz sobre a nossa sociedade. O evangelho não é um manual litúrgico (se é que você entende liturgia como aquilo que acontece dentro das capelas e que, de alguma forma, serve de modelo para as reuniões em casa). O evangelho vai além; ele tem uma grande notícia para a totalidade da vida! Nas palavras do teólogo Francis Schaeffer:

> A Igreja do Senhor Jesus deve ser composta pelo conjunto dos que foram redimidos e reunidos em torno de uma doutrina verdadeira. Mas subsequentemente eles devem ser capazes de, juntos, demonstrar uma "cura sociológica" substancial das discórdias geradas e sobre elas acometidas em decorrência do pecado do homem.[1]

Se temos um problema de memória, que nos impede de ver a mancha na janela, também nos falta um horizonte mais amplo que revele as múltiplas implicações da fé cristã.

Inteira

O evangelho diz respeito à vida inteira, porque Cristo reconciliou consigo todas as coisas. É o que nos lembra um antigo cântico da Igreja primitiva:

> Pois ele nos resgatou do domínio das trevas e nos transportou para o Reino do seu Filho amado, em quem temos a redenção, a saber, o perdão dos pecados. Ele é a imagem do Deus invisível, o primogênito sobre *toda* a criação, pois nele foram criadas *todas* as coisas nos céus e na terra, as visíveis e as invisíveis, sejam tronos ou soberanias, poderes ou autoridades; *todas* as coisas foram criadas por ele e para ele. Ele é antes de *todas* as coisas, e nele tudo subsiste. Ele é a cabeça do corpo, que é a igreja; é o princípio e o primogênito dentre os mortos, para que em *tudo* tenha a supremacia. Pois foi do agrado de Deus que nele habitasse *toda* a plenitude, e por meio dele reconciliasse consigo *todas* as coisas, tanto as que estão na terra quanto as que estão nos céus, estabelecendo a paz pelo seu sangue derramado na cruz.
>
> Colossenses 1.13-20

É importante lembrarmos desse texto, pois temos dificuldade de relacionar a fé cristã com as múltiplas dimensões da vida. Gostamos das coisas invisíveis, pois elas fazem mais sentido na maioria das nossas liturgias, mas cultivamos certo desprezo pelas visíveis, também reconciliadas em Jesus. É bem fácil perceber um daqueles sofismas que se levantam contra o conhecimento de Deus, revelado no Filho, que nos reconciliou "pelo corpo físico de Cristo, mediante a morte, para apresentá-los diante dele santos, inculpáveis e livres de qualquer acusação" (Cl 1.22). Um dos grandes inimigos dessa obra inteira é o dualismo.

Dualismo é dizer que "não é bem tudo" o que ele reconciliou. É dizer que a fé cristã não consegue extrapolar o teto dos nossos templos. É aquele jeito habitual de organizar a vida em partições como sacro *versus* profano, *gospel versus* secular, integral *versus* parcial.[2] Talvez você não perceba, mas preste atenção na rotina de muitos cristãos brasileiros, já adultos e inseridos no mercado de trabalho. Onde está o sagrado em suas vidas? Das 24 horas do dia, sete ele passa dormindo. Restam dezessete para ficar acordado, tempo dedicado às suas atividades. Quais são elas? Se for um bom crente, uma hora de devocional. Mais uma hora e meia em refeições, duas horas na academia, uma hora no trânsito, uma hora nas redes sociais, uma hora e meia com a família e nove horas trabalhando. Isso quer dizer que, tirando aquele pouco tempo devocional e as horas de sono, *esse cristão vive dezesseis horas por dia no campo do profano!*

Esse pensamento é zombaria com Deus. Mas é exatamente assim que fazemos quando olhamos para a vida e desconsideramos a reconciliação que o Pai realizou por meio do seu Filho, Jesus — uma obra completa, cósmica, total, inteira! Temos subestimado a grandeza do evangelho. E as implicações da nossa fé, testemunhadas no dia a dia, têm revelado ao mundo qual é o tamanho do evangelho para nós!

Culto

A grande notícia para a totalidade da vida, apresentada nas Escrituras e demonstrada pela tradição cristã, certamente não cabe dentro de um culto. No entanto, é no culto que a comunidade cristã se reúne a fim de adorar a Deus e saber dele o que devemos fazer quando a reunião terminar. É muito importante resgatar esse valor tão caro ao cristianismo: nossos encontros eclesiásticos sempre foram ponto de partida, e não de chegada. A gente se encontra a fim de partir. Como acontece nos intervalos dos jogos de futebol. O treinador reúne o time, chama a atenção de quem precisa, corrige os detalhes, relembra a estratégia, inspira os jogadores e os despede para o campo. E isso ocorre porque o jogo não se dá no vestiário!

Como eram as reuniões cristãs? Sabemos que Igreja (*ekklēsia*) significa isto: "chamados para fora". O motivo de os presentes estarem juntos são os ausentes. Recolhemos bens, dons e talentos com o propósito de distribuí-los. É isso o que nos informa a Bíblia: "Os que criam mantinham-se unidos e tinham tudo em comum. Vendendo suas propriedades e bens, distribuíam a cada um conforme a sua necessidade" (At 2.44-45).

É fascinante — e, também, constrangedora para nós — a conclusão do primeiro concílio da Igreja primitiva. Mais de dez anos após sua conversão, Paulo, já intensamente ativo no ministério junto aos gentios, sobe a Jerusalém a fim de se explicar: por que ele não circuncidava os não judeus que chegavam à família da fé? O primeiro debate sobre o tema "fé e cultura" termina assim:

> Reconhecendo a graça que me fora concedida, Tiago, Pedro e João, tidos como colunas, estenderam a mão direita a mim e a Barnabé em sinal de comunhão. Eles concordaram em que devíamos nos dirigir aos gentios, e eles, aos circuncisos. Somente pediram que nos lembrássemos dos pobres, o que me esforcei por fazer.
>
> Gálatas 2.9-10

Insisto que *o culto cristão não é um fim em si mesmo*: ele termina quando os presentes encontram os ausentes, quando a riqueza encontra a pobreza. E não interessa mais se o gentio está sendo circuncidado, mas se Paulo está se lembrando dos pobres, porque "Toda a Lei se resume num só mandamento: 'Ame o seu próximo como a si mesmo'" (Gl 5.14). E quem são os pobres? A Bíblia tem pelo menos oito palavras para descrevê-los, pois não existe apenas um pobre. Sim! Muitos são os pobres: existe o pobre que é pobre porque foi espoliado; o que assim está por preguiça, velhice ou doença; e até o pobre de alma, o ser deprimido. São tantas as pobrezas, como são muitas as riquezas. É por isso que a Igreja atravessa gerações como uma grande família cujos membros vão descobrindo riquezas, vocações e talentos a fim de levar as cargas uns dos outros e, assim, cumprir a lei de Cristo (Gl 6.2).

É preciso pensar o culto quanto à sua identidade? Sim. Mas não podemos nos esquecer de que culto envolve responsabilidade. O patriarca cristão Justino de Roma descreveu uma liturgia dominical do século 2:

> ... aqueles de nós que possuem alguma coisa socorrem todos os necessitados e sempre nos ajudamos mutuamente [...]. Vem depois a distribuição e participação feita a cada um dos alimentos consagrados pela ação de graças e seu envio aos ausentes pelos diáconos. Os que possuem alguma coisa e queiram, cada um conforme sua livre vontade, dá o que bem lhe parece, e o que foi recolhido se entrega ao presidente. Ele o distribui a órfãos e viúvas, aos que por necessidade ou outra causa estão necessitados, aos que estão nas prisões, aos forasteiros de passagem, numa palavra, ele se torna o provisor de todos os que se encontram em necessidade.[3]

Não haverá mais divergência entre nós quanto ao tema "culto e cultura" se começarmos a entender que as liturgias dominicais devem se estender a liturgias sociais. Nas palavras do mártir Hugh Latimer, "Deus nunca deu um presente sem providenciar ocasião, uma vez ou outra, de exibi-lo para a glória de Deus. Pois, enviando riquezas, ele enviaria homens pobres para serem ajudados por ela".[4]

Cultivo

Somos chamados para servir, e o serviço tem o poder de nos unir. Enquanto alguns acreditam que temos divergências demais para construir uma coalizão dentro da cultura, acredito que é exatamente o contrário. Talvez nos animemos a caminhar de mãos dadas em favor de um testemunho público efetivo. Porque, se estamos lutando pela unidade, a divergência vira diversidade, que, por sua vez, torna-se riqueza de olhares. Isso dá à Igreja uma impressionante capacidade analítica. É por isso que nenhum modelo político nos atrai completamente, pois nenhum abarca todo o espectro do nosso olhar. Isso também dá à Igreja uma singular desenvoltura para solucionar problemas. Já que ela está em todas as áreas da sociedade, toda vez que termina um culto milhões de irmãos espalhados pela terra voltam às ruas a fim de demonstrar as implicações de se viver para a glória de Deus.

Estamos convencidos pelo evangelho a respeito da nossa missão, por isso vamos avançar como santos pelo mundo, a fim de cultivar um jardim no meio do caos, de preparar a cidade-jardim na terra. O contato com a cultura se dá exatamente assim: através do cultivo. É por isso que é dever nosso ouvir as instruções de Deus a respeito do trabalho. O pastor puritano Cotton Mather, que usou o púlpito diversas vezes para instruir sua congregação sobre o tema, disse certa vez:

> Deus fez o homem uma criatura de sociedade. Esperamos benefícios da sociedade humana. Isto equivale a que a sociedade humana deveria receber benefícios de nós. Somos benéficos à sociedade humana pelos trabalhos naquela ocupação especial em que devemos nos empregar, de acordo com a ordem de Deus.[5]

Gênesis revela que o homem foi feito à imagem de Deus. Por isso, o ser humano carrega em si o ser criativo. "O SENHOR Deus colocou o homem no jardim do Éden para cuidar dele e cultivá-lo" (Gn 2.15). Isso significa que o dever de trabalhar não veio depois da queda, como se fosse um castigo. Antes de se tornar predador, o homem foi jardineiro.

O músico Ed Motta lançou, em 1988, o *hit Vamos dançar.* A letra revela, logo nos primeiros versos, aquilo que a teologia bíblica do trabalho tanto combate. O cantor apresenta o que é a vida profissional para muitas pessoas: "*Eu não nasci pra trabalho / Eu não nasci pra sofrer / Eu percebi que a vida / É muito mais que vencer*". Com um *groove* contagiante, o cantor parece um grego da Antiguidade filosofando sobre a labuta diária. Porque, para os antigos gregos, pessoas livres não deveriam se empenhar na sordidez do trabalho; isso era coisa de escravos. Por outro lado, judeus e cristãos sempre entenderam que trabalhar é honra para os homens. Cuidar da terra e desenvolver o potencial da criação é um privilégio para criaturas feitas à imagem de Deus. Faz parte da dignidade humana. O trabalho, aqui, é entendido como uma bênção anterior à queda. Paulo faz uma clássica defesa desse princípio em sua segunda carta aos tessalonicenses, sentenciando, depois de uma dura exortação aos preguiçosos: "... irmãos, nunca se cansem de fazer o bem" (2Ts 3.13).

Assim, o cristianismo chegou até aqui e muito já se escreveu sobre o mandato cultural. Preste muita atenção a este detalhe: *o cristianismo chegou até aqui!* Isso quer dizer que, quando a nossa geração sai para cultivar, ela o faz em obediência a Deus e dentro dos campos já plantados por outra geração. Um exemplo: o conceito "música brasileira de raiz cristã", que alguns artistas utilizam atualmente para apresentar sua arte, emergiu de um contexto onde havíamos reconhecido a necessidade de superar o dualismo *gospel versus* secular. Isso ajudou a construir novas categorias de pensamento para relacionar fé cristã e cultura brasileira.

Nesse sentido, foi valiosa a contribuição do antropólogo e linguista Don Richardson, especialmente pelo relato de sua trajetória missionária, narrada no livro *O totem da paz*. Ele a dividiu em três partes: "O mundo dos sawis", "Dois mundos se encontram" e "Um mundo transformado". Que bela história! Mas nem tudo fazia sentido quando comparávamos a saga de uma tribo de canibais caçadores de cabeças com a nossa empreitada. Eis o problema: a cultura brasileira do século 21 em nada se parecia com um mundo que viveu por séculos isolado do evangelho, que, por sinal, nem mesmo ficou confinado em templos nesses quinhentos anos de presença cristã nas terras tupiniquins. Diferente dos sawis de 1962, que nunca haviam visto um homem branco nem tido contato com a sua religião cristã, os brasileiros dos anos 2000 foram formados nela! Isso significa que quando a geração atual sai para semear, ela adentra uma sociedade filha do cristianismo.

Cultura

Eis a nossa cultura: quem nós somos e onde estamos a cultivar. Não se assuste com isso. Lembra-se do discurso de Paulo em Atenas? "De um só fez ele todos os povos, para que povoassem toda a terra, tendo determinado os tempos anteriormente estabelecidos e os lugares exatos em que deveriam habitar" (At 17.26). Cerca de mil e quinhentos anos antes, Moisés já declarava: "Quando o Altíssimo deu às nações a sua herança, quando dividiu toda a humanidade, estabeleceu fronteiras para os povos..." (Dt 32.8). Não podemos nos esquecer: nós somos um povo criado por Deus. Temos em nossa estrutura algo singular. Ele nos criou assim: mestiços, misturados, um verdadeiro amálgama de cores, sotaques e dons. Parece ser isso o que Gilberto Freyre identificou depois dos seus estudos, em 1961, na revista *O Cruzeiro*:

> Atente-se, porém, ao que, nessa civilização, é conjunto de formas favorável à expressão de substâncias diversas sem a diversidade ou a pluralidade dessas substâncias vir impedindo um sentido dinâmico de unidade de harmonizar contrários étnicos e culturais dentro daquelas formas flexíveis, porém básicas, de existências e de coexistência, de vivência e de convivência.[6]

Não existe um Brasil, mas muitos brasis! É pela observação desse amálgama cultural que pergunto: o que nós cultivamos como Igreja até aqui? A preguiça intelectual de alguns prefere chamar de *gospel* tudo aquilo que é confissão evangélica na cultura brasileira, sem se dar conta de que bem antes de a grife existir já havia a Igreja. Certamente, quando falo "Igreja" não penso em templos e capelas apenas, mas, sobretudo, em pessoas que experimentam o evangelho. Não podemos inverter as coisas: a categoria de mercado que ainda não completou três décadas se chama *gospel*, mas a Igreja, a comunidade daqueles que são chamados para fora, é secular! Os nossos pais nos deixaram uma família que, na verdade, já tem dois milênios. Eles atravessaram gerações errando e acertando e aqui estão há mais de quinhentos anos! Então, que influência é essa, de fato, na formação do nosso país? É preciso ver essa herança sem as lentes embaçadas da indústria do entretenimento ou da crítica sociológica das esquerdas e direitas, e para além dos limites religiosos e acadêmicos, aproveitando as diversas cores e linhas denominacionais que existem.

Insisto que precisamos limpar nossas janelas. Não podemos mais falar do assunto "fé cristã e cultura contemporânea" sem apresentar uma nova abordagem do que é identidade brasileira — e isso envolve assumir que estamos aqui há muito tempo e somos o que somos porque aqui estamos.

Nos últimos cem anos e, principalmente, depois da Semana de Arte Moderna de 1922, o conceito de identidade nacional foi elaborado por uma elite não cristã e, em certos círculos, anticristã. Eles olhavam para os crentes em Jesus como "os outros". Mas agora precisamos pedir para "os outros", nós, os cristãos, que construam essa abordagem. Qual brasilidade será contada por esses que creem? Como será o Brasil de dentro "dos outros"?

Viagem

Chegou o tempo de uma expedição ao interior da nossa cultura. Não é mais suficiente o olhar estrangeiro sobre nós. Sim! Quem até agora se ocupou de registrar a realidade do nosso povo por meio de diários, relatos de viagem, memórias e livros? Como se fôssemos os índios descritos na carta de Pero Vaz de Caminha, dirigida ao rei d. Manuel, o movimento evangelical no Brasil tem se contentado em saber quem somos pela ótica daqueles que nunca souberam o que somos!

O teólogo e ativista Antônio Carlos Costa descreve um desconforto muito interessante em seu primoroso livro *Convulsão protestante*.

> Ao procurar compreender a realidade da favela à luz do evangelho, ficou claro para mim que uma leitura da Bíblia por um viés ideológico de esquerda ou de direita não dá conta daquela realidade. Passei a ver as influências tanto do marxismo quanto do liberalismo econômico puro dentro da Igreja como algo profundamente prejudicial à missão cristã no mundo, uma vez que essas ideologias produzem romantismo ou desumanidades.[7]

Chegou a hora de nos redescobrirmos! Talvez o que nos separe quanto ao engajamento cultural sejam as ideologias que não provêm da nossa regra de fé nem da nossa tradição. Um time de intelectuais brasileiros com grande atuação pública durante todo o século 20 inventou o Brasil a partir de uma ótica que não dá conta da complexidade da vida conforme ela é apresentada pelo evangelho, dos quais destacamos Gilberto Freyre, Caio Prado Jr., Sérgio Buarque de Holanda, Roberto DaMatta e Darcy Ribeiro, além de Florestan Fernandes, Raimundo Faoro, Antônio Cândido, Oswald de Andrade, Celso Furtado e Fernando Henrique Cardoso (sociólogo da USP que chegou a se tornar presidente da República). Não poucas vezes, quando lemos os relatos desses intelectuais, nos sentimos estrangeiros em nosso próprio país, como se fizéssemos parte de um outro Brasil. De fato, existe um outro Brasil. O Brasil que abriga "os outros". E "os outros" somos nós.

O que nos impede de contar a história do Brasil com a nossa própria voz? A nossa brasilidade precisa de um olhar interno e não mais "estrangeiro". Precisamos criar narrativas dessa viagem que apresentem qual tem sido a nossa contribuição dentro do país. Precisamos relatar o que vimos, assumindo os erros e lutando para ser mais verdadeiros na nossa travessia. Francis Schaeffer dá um precioso conselho:

> Nada será perfeito nesta vida, mas tudo deve ser real. Descobri que a dureza do coração dos homens do século 20 não espera dos cristãos que eles sejam perfeitos. Eles não vão jogar em nossos rostos se, individualmente ou em grupo, acharem menos do que perfeição em nós. Eles não esperam perfeição, mas esperam realidade, e eles têm o direito de esperar realidade, com base na autoridade de Jesus Cristo.[8]

Aquela grande janela de vidro somos todos nós: a Igreja que vive, entre a justificação e a glorificação, em busca da santidade. Enquanto o misterioso ônibus da vida se move, o Senhor vai limpando-nos, a fim de fazer de nós uma límpida e transparente vitrine, apresentando ao mundo o Deus que é todo graça e misericórdia.

Considerações finais

Pedro Lucas Dulci

As igrejas não têm mais janelas como costumavam ter. Pelo menos as igrejas evangélicas não são construídas como as antigas catedrais. Se você visita o velho mundo das paróquias, basílicas e catedrais, verá grandes janelas por toda parte. Na arquitetura medieval de estilo romântico — até o século 12 — as igrejas eram construídas com enormes pilares de sustentação, paredes grossas e janelas bem pequenas. Isso fazia que seu interior fosse pouco iluminado. Um exemplo clássico desse modelo é a Catedral de Worms, na Alemanha.

Essa tendência cedeu lugar ao estilo gótico, do século 13 em diante. A nova linha arquitetônica valorizou a beleza proporcionada pela harmonia das paredes finas e altas, com muitas aberturas para o exterior. Isso fazia que o interior das igrejas ficasse bem iluminado. Basta ver o tamanho e a quantidade de janelas que têm a Catedral de Notre Dame, em Paris, e a Abadia de Westminster, em Londres. Além de janelas, era muito comum nessas igrejas a presença de rosáceas, vitrais colocados em lugares altos, próximos à fachada principal, compostos por muitos pedaços coloridos de vidro. Com a luz externa, projetava-se no interior das igrejas iluminação e cor para as celebrações. Os raios solares eram filtrados pelos mosaicos e pelas rosáceas com cenas e personagens bíblicos de primeira importância para a formação do imaginário popular dos fiéis. Adicionalmente aos vitrais, a presença de quadros é marcante nas catedrais góticas. De uma maneira diferente, eles também tinham o objetivo de povoar a imaginação dos passantes, dando forma, cor e textura às cenas e aos personagens da história da salvação.

Essa arquitetura de janelas, vitrais e quadros comunica muita teologia. Quem melhor compreendeu isso foi o reformador holandês Abraham Kuyper. Argumentando sobre a presença de Deus em todas as esferas da vida humana, ele fez o seguinte comentário:

> Sem dúvida, há uma concentração de luz e vida religiosa na Igreja, mas ao mesmo tempo nas paredes desta igreja há amplas janelas abertas, e através destas janelas espaçosas a luz do Eterno tem irradiado sobre todo o mundo. Aqui está uma cidade colocada sobre um monte, a qual cada homem pode ver à distância. Aqui está um sal santo que penetra em todas as direções, reprimindo toda corrupção. E mesmo aquele que ainda não assimila a luz superior, ou talvez feche seus olhos para ela, todavia é admoestado, com igual ênfase e em todas as coisas, a dar glória ao nome do Senhor. Toda religião parcial dirige as cunhas do dualismo para dentro da vida, mas o verdadeiro calvinista nunca abandona o padrão do monismo religioso. Um chamado supremo deve imprimir a marca da unidade sobre toda vida humana, porque o Deus único a sustenta e preserva, exatamente como a criou.[1]

Na arquitetura das igrejas com amplos vitrais e janelas, Kuyper enxerga a doutrina da graça comum de Deus que irradia sobre todo o mundo. As igrejas com amplas janelas ensinam que não precisamos ficar enfurnados entre quatro paredes, como se somente dentro do templo a presença de Deus fosse real. Pelo contrário, precisamos ser vistos pelo mundo. Também não podemos nos esquecer de ver este mundo, tão cheio da presença de Deus. Não podemos nos isolar do que Deus comunica fora de nossas quatro paredes. Nossas janelas não podem ser pequenas, nem em pouca quantidade, como nas igrejas românticas. A fé evangélica ortodoxa, católica e apostólica não é dualista, não sustenta que apenas dentro de nossos escuros salões de reunião está a graça de Deus. Existe muita luz lá fora, e as janelas marcam essa unidade sobre toda a vida humana que a Trindade sustenta.

Um vitral, por sua vez, comunica o mesmo que uma janela, mas acrescenta cores, formas e imagens às luzes que entram na igreja.

Seria como dizer que a luz que entra, ou mesmo o conteúdo que sai da igreja, não o faz de qualquer forma. Essa luz passa pelas cores, pelas formas e pelas cenas que a Escritura nos revela e é moldada pelos desenhos que dão formato à nossa fé. Ou seja, os vitrais funcionam como as primeiras lentes interpretativas que os cristãos tiveram para enxergar o mundo lá fora, além de servir de filtro para o mundo espiar o que acontece dentro da igreja.

Os quadros, por sua vez, não poderiam ser aquelas cenas que vimos pelas janelas da igreja que precisaram ser eternizadas? As pinturas e telas que ocupam as paredes de algumas catedrais são uma espécie de leitura fixada no tempo, que os cristãos não podem esquecer de forma alguma. Mesmo que o céu esteja nublado e fornecendo pouca luz para o interior da igreja, os quadros imortalizam imagens que também auxiliam na leitura da História, da fé e do mundo. Assim como os credos e as confissões na teologia, nas pinturas está a pressuposição de que o passado é importante e que outras pessoas antes de nós já se ocuparam com as mesmas dificuldades que temos hoje. Junto aos vitrais, cumprem a função de transmitir esteticamente as formas tradicionais de enxergarmos o mundo dentro e fora da igreja. Guardadas as devidas proporções, podemos afirmar o mesmo que o teólogo e historiador Carl R. Trueman:

> ... em termos de transmissão da verdade de uma geração para outra, ou de deixar claro para o mundo exterior no que igrejas particulares creem, exige a crença de que o passado pode ainda nos ensinar hoje. Portanto, qualquer força cultural que enfraqueça ou atenue a crença no passado como fonte de conhecimento, e mesmo de sabedoria, é também uma força que serve para minar a relevância dos credos e das confissões.[2]

Precisamos recuperar a teologia das janelas, dos vitrais e dos quadros em nossas igrejas evangélicas. Em primeira instância, é claro que isso significa recuperarmos a consciência estética de que nossa arquitetura comunica muito do que cremos. O fato de os edifícios evangélicos se parecerem muito mais com um *shopping center* do que com uma catedral gótica não é acidental, mas diz muito sobre a lógica mercadológica — que monopoliza todas as dinâmicas sociais e nos faz operar na igreja da mesma forma que nos portamos em um supermercado, atrás dos melhores preços, dos produtos e do conforto que a competitividade entre os comerciantes fornece.

Em um segundo aspecto, entretanto, recuperar a teologia das janelas, dos vitrais e dos quadros significa insistir em tudo aquilo que falamos neste livro. Observe como o exemplo que Kuyper apresentou sobre as janelas das catedrais se relaciona perfeitamente com a argumentação de Guilherme de Carvalho, Igor Miguel e Marcos Almeida. Da mesma forma que as janelas nas catedrais apontam para a graça comum, que ilumina todo o mundo lá fora, uma das condições para a unidade harmônica da Igreja é a abolição dos dualismos entre sagrado e profano e culto e cultura que ainda assombram os evangélicos. Por meio dessa teologia das janelas, precisamos deixar livre o acesso de luz para dentro da igreja, como também nunca permitir que os cristãos se satisfaçam apenas com o que eles observam do lado de dentro dos nossos salões de culto. Precisamos de uma relação católica demonstrativa.

A mesma estética comunicada pelos vitrais está na minha argumentação e também na de Carlos Henrique e de Guilherme Franco. O cristianismo é plural, ou seja, a luz com a qual a Trindade se apresenta aos homens (1Jo 1.5; Ap 22.5) é observada em cores e formas diferentes na sua criação. Não podemos reduzir as perspectivas com que temos acesso à multiforme graça de Deus na realidade a nenhuma ênfase particular da teologia, muito menos a uma ideologia política particular. Isso faz de nós um povo que celebra a pluralidade de expressões e percepções teológicas, como também um povo criativo e artístico. Não é possível ter harmonia sem essa teologia inspirada em vitrais que dão forma e cores para enxergarmos a luz que vem de fora para a igreja.

O mesmo acontece com a lógica por trás das pinturas e dos quadros na teologia. Na representação fixada no tempo das pinturas, temos a tradução de verdades teológicas em imagens, a transmissão de uma forma de ver o mundo legada pelos nossos pais e a sustentabilidade de uma perspectiva confessional ao longo do tempo — três conceitos que Rafael Balestra trabalhou no capítulo 1. Essa teologia dos quadros nos ajuda a não ler sozinhos as Escrituras. Existe uma comunhão e uma unidade que não se manifesta apenas no presente, mas que também se revela no passado, com aqueles que vieram antes de nós.

Por tudo isso, acreditamos que este livro é uma janela através da qual mostramos o que estamos vendo. Escrevemos nele o que vemos acontecer na Igreja evangélica brasileira. Além disso, também procuramos montar um vitral de expressões coloridas para filtrar alguns raios de luz que vêm de fora dos templos. Não foram poucas as vezes que nós, os sete autores deste livro, discutimos sobre as cores que deviam compor a harmonia do quadro geral que estávamos formando. Deus sabe como nosso coração fica quando lidamos com os nossos amigos adventistas, romanos e descrentes. No entanto, às vezes estamos na mesma situação narrada pelo Marcos Almeida: com uma mancha que atrapalha a visão da paisagem. Em circunstâncias assim, é preciso esfregar a grande janela de vidro com vigor.

Isso não é prazeroso. Em tempos de excessivo "politicamente correto", dizer a verdade em amor é sinônimo de posicionamentos tão frágeis que tornam impossíveis o comprometimento com qualquer causa. Não é sem razão que, em nossos dias, a grande mídia trate qualquer tomada de posição inegociável, como compromisso radical e de abnegação pessoal a terroristas e outros grupos fundamentalistas. Nossos adolescentes não conhecem outros grupos que baseiem os seus relacionamentos a partir de um núcleo de sentido e afinidades teológicas insubstituíveis, como a ortodoxia evangélica precisa ser.

Nesse horizonte, portanto, o que não pode acontecer é nos acomodarmos às manchas que o tempo, o descaso e a intencional negligência foram colocando em nossa janela. Sabemos que, um dia, essa janela, esse vitral colorido que montamos se tornará uma fotografia que retrata um horizonte que já não será mais aquele que contemporâneos veem em suas janelas. Contudo, mesmo nesse dia, este livro cumprirá seu papel de testemunhar que havia um povo empenhado em manter as janelas transparentes e as cores harmonizadas no vitral de expressões de fé na Trindade. Um povo dedicado a conservar a unidade do Espírito pelo vínculo da paz, em completa humildade, doçura e paciência, e suportando uns aos outros com amor.

Posfácio

Em 2010, tive o privilégio de fazer minha primeira visita a Israel e às terras bíblicas. Confesso que tinha certa resistência a fazer essa viagem, por perceber certa religiosidade associada a essa "peregrinação". Meu sentimento era de que os malefícios sobrepujavam os benefícios. Tanto que decidi tempos atrás que só faria essa viagem quando eu entendesse que estava maduro o suficiente para enfrentar o desafio de ficar exposto a um ambiente tão religioso e contaminado de crenças sem não ser corrompido.

Levei dezoito anos para entender que estava pronto para o desafio. E constatei que, de fato, essa é uma experiência que não pode ser vivenciada de qualquer maneira. Seria negligência dizer que as pessoas não podem ser afetadas de forma negativa. Contudo, apesar de toda a contaminação do ambiente e do risco de um certo "contágio" religioso, hoje eu recomendo a viagem a todos que puderem vivenciá-la. Estimulo até um certo esforço nesse sentido àqueles que têm o interesse em discernir a história no ambiente e no que restou da sua atmosfera cultural, naquele que foi seu monento principal e central.

O que mais me impactou na visita a Israel foi o rio Jordão. Sou engenheiro civil e, por isso, sempre despertaram minha atenção aspectos físicos e químicos, gráficos e grafias, processos e estruturas funcionais, desafios e transposições. Quando me encontrei com o rio Jordão fui tremendamente impactado pelo seu significado bíblico-histórico. A minha impressão é que Deus criou o mundo e, depois, querendo deixar uma ilustração daquilo que é a sua vontade por meio da vida e obra de Cristo e da Igreja, riscou com a ponta do dedo o Jordão. É como se aquele rio contasse de forma metafórica e ilustrativa a vida de Cristo. Olhar para o ele desde a sua nascente e acompanhá-lo na sua trajetória até o mar Morto nos ajuda a entender a vocação e o ministério de Cristo e, consequentemente, da Igreja.

O significado original do nome *Jordão* é "aquele que desce". Todo rio é formado porque a água, guiada pela gravidade, precisa encontrar um caminho de descida para superar um gradiente de nível, do mais alto para o mais baixo. Então, todo rio é, por natureza, "Jordão". Como Cristo é o rio da vida, torna-se a referência única e absoluta de todos os rios. Assim como ele é a videira verdadeira, é, também, o rio verdadeiro.

O apóstolo Paulo escreveu em Efésios que Cristo cumpriu todo o propósito de Deus, descendo às partes mais baixas da terra. O que Paulo provavelmente não sabia é que a foz do Jordão, no mar Morto, é o ponto geográfico mais baixo da terra, localizado 417 metros abaixo do nível do mar. O rio é formado a partir de nascentes rochosas e do degelo e orvalho do Hermon, o que lhe garante uma condição cristalina.

Em sua conversa com a mulher samaritana, Jesus revela que a obra do Espírito Santo em nós é nos transformar em fonte de rios de água viva. Já Paulo disse que os nascidos de Cristo — nascidos do alto — são espíritos doadores de vida. Portanto, todo filho de Deus é vocacionado a descer, a transpor gradientes, a superar diferenças. Cristo é o unigênito de Deus, o único em condições de fazer isso, mas se tornou o primogênito de muitos irmãos, dando-nos a condição de fazer o mesmo. Ao falar sobre o profeta João Batista, que anunciava o ministério de Cristo e o consequente cumprimento da promessa do Espírito Santo, Lucas lembrou as palavras do profeta Isaías: "Voz do que clama no deserto: 'Preparem o caminho para o Senhor, façam veredas retas para ele. Todo vale será aterrado e todas as montanhas e colinas, niveladas. As estradas tortuosas serão endireitadas e os caminhos acidentados, aplanados. E toda a humanidade verá a salvação de Deus'." (Lc 3.4-8). Um dos sinais de maturidade da Igreja é sua capacidade de enfrentar e superar diferenças.

A primeira definição da natureza e do caráter de Deus na Bíblia é que ele criou todas as coisas a partir de um movimento. "Disse Deus" é uma revelação de movimento: uma vontade que se fez voz, um sopro que carrega uma revelação. Deus, ao dizer, fez luz. Voz é uma superação de um gradiente de pressão, e esse movimento gerou luz na medida em que rompeu a resistência. A escuridão preenchia os espaço existente entre as diferenças, as trevas cobriam o abismo. Deus colocou seu Espírito em movimento, como águas que se movem, como um rio que desce até as partes mais baixas do abismo, para encher o espaço das diferenças com a sua glória.

No caminho da cruz, o ponto final de sua descida, Cristo declarou: "Pai, [...]. Glorifica o teu Filho, para que o teu Filho te glorifique" (Jo 17.1). E, tendo chegado ao fim, disse: "Está consumado!" (Jo 19.30). Com isso, entregou seu Espírito. Três dias depois, no início da semana, no primeiro dia de uma nova criação, ele apareceu ressurreto e soprou seu Espírito sobre os discípulos. E, antes de ser elevado aos céus, os exortou que não fizessem nada antes de serem movidos pelo mesmo Espírito que o movia. Até que, enfim, quando todos estavam reunidos, apesar de suas diferenças, ouviram o som de um vento forte e todos foram cheios pelo Espírito de Deus, que preencheu seus abismos relacionais. Eles não escutaram o barulho de um sino que retine, um barulho de quem tem o poder de bater. Mas ouviram o som de um movimento, como uma voz de quem tem a autoridade de gerar luz quando diz o que tem a dizer.

Deus não criou a partir de um som, como quem bate num sino, mas como quem gera um movimento-voz. Não se trata apenas de palavra-letra, mas de Palavra-Espírito. Tanto que a revelação de Deus em Gênesis nos dá conta de que seu Espírito se movia.

Como filhos de Deus em Cristo, não fomos chamados a produzir uma proclamação sonora do poder de Deus. Fomos, sim, chamados a fazer parte de um movimento gerado e conduzido pelo seu Espírito, de tal modo que as pessoas ouçam a sua voz através desse movimento que tem som de muitos e que revela sua glória na forma como, em unidade, materializamos suas virtudes.

As principais figuras do Espírito de Deus são figuras fluidas e, portanto, figuras de movimento: vento e rio. Logo, a principal característica dos que são nascidos do Espírito é sua total "disposição" de serem "guiados" — "levados" — por ele. São gente que não resiste ao movimento do Espírito, firmando posições, mas que se desloca em direção ao outro, que é totalmente diferente dele. Os nascidos do Espírito são rio e vento, se movem, vão, se esvaziam, descem.

Por isso, o que há de mais transformador não são as ideias, mas o esforço de nos movimentarmos na direção uns dos outros. Jesus, em oração, revela que recebeu do Pai duas dádivas, que compartillhou conosco. A primeira é a palavra, que nos daria poder de confrontar as realidades humanas. Mas a mera proclamação de palavras produziria mera dialética e consequente perseguição. Entretanto, ele também nos deu a glória que recebeu do Pai, para que fossemos transformados em nossas relações, a fim de semos um, para que o mundo creia. O que vai transformar o mundo não é nosso poder dialético, mas a autoridade que vem das nossas relações.

Deus não nos encarregou de encher o mundo com poder. O mundo e todo o universo já estão cheios de todo o poder de Deus. Ele nos mandou encher o mundo com sua glória. O mundo ainda não está cheio com a glória de Deus, apesar de já estar cheio do seu poder. Esse privilégio está reservado a nós, na medida em que oferecemos nossa vida, como um rio, em favor de nossos irmãos; soprando sobre eles do mesmo Espírito que foi soprado sobre nós.

Nossa vocação não é mudar o mundo com o barulho de quem tem o poder usar palavras e ideias, como um *quê* usado para bater em outro *quê* ou em outro *quem*. Fomos vocacionados para transformar pessoas com o som de um movimento gerado por quem é movido pelo Espírito Santo, e que se torna a voz de quem diz a outro *quem*, de um *quem* que quer se mover em direção a outro *quem*. Moisés foi repreendido por Deus porque usou o poder de bater e não a autoridade de ser voz.

O rio e o mar são formados pelas mesmas águas. Contudo, o som das águas do rio é como o de muitas águas que se movem, enquanto o do mar é como o de águas que se agitam. Um dia o mar já não existirá, mas o rio estará presente na eternidade. Já não existirá o barulho das agitações, mas permanecerá o som do movimento de uns em direção aos outros.

A harmonia do rio não está no traçado, na velocidade, na profundidade, na largura, na calma ou na agitação. Sua harmonia está no movimento das águas. O rio são águas que se movem na mesma direção. Por vezes o rio se apresenta raso; outras vezes, profundo. Pode estar calmo e tranquilo como um lago, ou desafiador e inquietante como corredeiras ou uma cachoeira. Pode até parecer que, num momento, mudou de direção, mas é só um redemoinho, que logo será reorientado pela força do rio. Seu traçado pode ser sinuoso ou longilíneo, mas o traçado não é o rio. O traçado é apenas o seu leito. Há momentos em que suas águas mudam de cor, ou carregam entulho e sujeira. Mas o que coloriu suas águas foi o entulho e a sujeira, não o rio. Essas coisas apenas revelam que o rio está cumprindo o seu papel de lavar a terra. O rio continua sendo as águas que se movem na mesma direção.

A maior riqueza deste livro não está na sua forma, na eloquência ou poder das suas afirmações. Há momentos em que ele é como um lago, outras vezes raso e espraido, ou, então, estreito e profundo, agitado ou até, para alguns, confuso como um redemoinho. Mas é um rio. Afinal, assim é o rio: uma mesma história, contada e desfrutada em momentos, tempos e formas diferentes. Entretanto, só será rio se as águas forem as mesmas.

Sua beleza e seu ensinamento estão no esforço e na disposição de uns se moverem em direção aos outros. Sua autoridade está no movimento que é gerado no empenho pela relação, e não no poder de suas palavras. Ele é convincente por ser um simples gesto de querer compartilhar com outro, como Jesus ao repartir o pão com amigos e, até, um "inimigo". Portanto, sua força não está no poder das palavras, mas na simplicidade do gesto.

A proposta deste livro é transformadora, porque quer compartilhar uma consciência de relação, e não apenas exercer o direito de falar. Minha esperança é que cada leitor, assim como eu, mais do que se sentir embriagado ou perturbado pelo poder dos argumentos, possa ser levado pelo movimento das águas.

PAULO BORGES JR.
Pastor e coordenador do Ministério Sal da Terra (GO)

Notas

Introdução

[1] Em um dos bons comentários ao texto de 1Coríntios, D. A. Carson estabelece a mesma relação entre 1Coríntios e Efésios, de onde tiramos o tema de nosso livro. Falando sobre 1Coríntios 12.4-11 ele diz o seguinte: "Aqui, como em 4.1-16, Paulo primeiro estabelece como fundamento a unidade, na confissão promovida pelo Espírito Santo, e em seguida introduz a diversidade. O conectivo *δέ* (de) provavelmente é adversativo: quero que saibam que todos os que confessam verdadeiramente Jesus como Senhor fazem isso pelo Espírito Santo e, desse modo, atestam a presença dele em sua vida; *contudo*, isso não significa que não há distinções a serem feitas entre eles. A preocupação de Paulo, agora [v. 4-11], não é tanto a unidade [v. 1-3], mas sim a diversidade. O Deus Triúno ama a diversidade" (*A manifestação do Espírito*: *a contemporaneidade dos dons à luz de 1Coríntios 12—14*. São Paulo: Vida Nova, 2013, p. 33).

[2] Essa "dança" é um inferência estética do termo *perichoresis*, cuja tradução literal seria "rotação" ou "giro". Tal inferência não apenas fornece uma excelente imagem da dinâmica interna à Trindade, como também comunica a beleza inerente a ela. Eis a Trindade para Nietzsche, que dizia que "não poderia crer num Deus, se ele não soubesse dançar" (NIETZSCHE, Friedrich. *Assim falava Zaratustra*. Petrópolis: Vozes, 2011, p. 47).

[3] *A obra do Espírito Santo*. São Paulo: Cultura Cristã, 2010, p. 207.

1. Igreja relacional

Diminuindo a distância entre as gerações

[1] *A morte da razão.* São Paulo: ABU Editora; Viçosa, MG: Editora Ultimato, 2014, p. 11.

[2] São Paulo: Mundo Cristão, 1994.
[3] Conforme argumenta o pastor Paulo Borges Jr. na obra *DNA e propósito: uma consciência de identidade, natureza e função na vida da igreja*. Uberlândia: Sal Editora, 2014, p. 51.
[4] P. 51.

2. Igreja profética

As ideologias denunciadas

[1] "Os ídolos de nosso tempo: a cosmovisão cristã em um mundo de esquerdas e direitas". In: Ramos, Leonardo, et al. *Fé cristã e cultura contemporânea: cosmovisão cristã, igreja local e transformação integral*. Viçosa: Ultimato, 2009.
[2] A teoria *queer* defende que a orientação sexual e a identidade sexual ou de gênero são o resultado de uma construção social. Segundo essa linha de pensamento, não existiriam papéis sexuais essencial ou biologicamente inscritos na natureza humana, mas formas socialmente variáveis de desempenhar um ou mais papéis sexuais.
[3] A Igreja Batista de Westboro é uma congregação extremamente fundamentalista, no pior sentido do termo. Seus membros ganharam notoriedade em razão das manifestações nada caridosas contra a homossexualidade. A igreja fica no estado do Arkansas (EUA), não é vinculada a nenhuma convenção batista clássica e sua membresia é constituída quase totalmente por membros de uma só família.

3. Igreja plural

As tradições em perspectiva

[1] Todas as vezes em que me referir às *perspectivas* e ao *pluralismo*, tenho em mente o raciocínio desenvolvido pelos americanos John M. Frame e Vern S. Poythress. Em suas obras *A doutrina do conhecimento de Deus* e *A doutrina da vida cristã*, Frame busca mostrar como a existência do cristão pode ser compreendida por três perspectivas diferentes, mas simultâneas: a normativa, a situacional e a existencial. Por meio de uma longa argumentação, ele mostra como esse raciocínio tem raízes bíblicas, como sua sistematização vem dos símbolos de fé de Westminster, bem como ressonância no pensamento do apologista Cornelius Van Til. Faço essas considerações para explicitar nossa preocupação com uma compreensão de verdade, perspectiva e pluralidade que seja bíblica, enraizada na Reforma Protestante e com ressonância para as questões da contemporaneidade.
[2] *Symphonic Theology: The Validity of Multiple Perspectives in Theology*. Disponível em: <http://frame-poythress.org/ebooks/>. Acesso em: 9 de jan. de 2016.

[3] John M. Frame, *A doutrina do conhecimento de Deus*. São Paulo: Cultura Cristã, 2010, p. 79.
[4] São Paulo: Cultura Cristã, 2006, p. 41.
[5] *Rios de água viva: práticas essenciais das seis grandes tradições da espiritualidade cristã*. São Paulo: Vida, 2006, p. 20.
[6] Idem.

4. Igreja evangélica
As heresias tratadas
[1] Por confissões, refiro-me aos documentos que denominações protestantes históricas elaboraram, como a Confissão de Augsburgo, a Confissão Belga, a Confissão de Fé de Westminster, a Confissão Batista de 1689 e os Artigos da Religião (Metodista).
[2] Credos Apostólico, Atanasiano, Niceno-Constantinopolitano e a Fórmula Calcedônia, os chamados credos ecumênicos. O termo "ecumênico" aqui não tem o sentido comum do termo como "união de todas as religiões indiscriminadamente", mas de unidade entre irmãos cristãos.
[3] Alguns exemplos: Testemunhas de Jeová, Mormonismo e Ciência Cristã. O Adventismo do Sétimo Dia também surgiu nesse período, apesar de ser difícil tratá-lo como um grupo não cristão, e não seria muito adequado alegar que não há cristãos regenerados em seus círculos. Porém, há muitos pontos controversos em sua teologia, soteriologia e eclesiologia que dificultam sua plena inserção no cristianismo ortodoxo.
[4] *Dogmática reformada*. São Paulo: Cultura Cristã, 2012, p. 607.
[5] A ênfase evangélica de conversão pessoal é autêntica, uma resposta ao formalismo e ao nominalismo. Porém, a ênfase excessiva na conversão pessoal, sem as devidas explicações, pode resultar em uma compreensão subjetiva e sempre voltada para o indivíduo, em vez de dar valor à compreensão bíblica no fato de que, mais do que salvar indivíduos, Deus está constituindo um povo (Tt 2.14). Essa reprodução do individualismo moderno ignora que a afirmação do ego humano como centro de sentido da vida tem raízes na própria apostasia de Adão e Eva, na sedução primitiva de que o indivíduo se basta e se autodetermina.
[6] O gnosticismo era um movimento religioso que alegava ter a compreensão original do cristianismo e ter recebido secretamente tal conhecimento (*gnosis*) por tradição dos apóstolos. Rejeitavam a noção de Deus como Criador, tinham dificuldades com a noção de encarnação e eram dualistas.
[7] *Contra as heresias*, Livro III, 1,1.
[8] Idem, Livro III, 1,2.
[9] *Sermão do Domingo da Trindade*, 1535. WA, 41, 275

[10] *As Institutas*, IV, 1, 5.
[11] Geralmente, as traduções em português utilizam a tradução "Eu Sou o que Sou", porém adoto uma conjugação futura, como Lutero em sua tradução alemã, pois corresponde mais adequadamente à conjugação no imperfeito do verbo "ser" ou "tornar" na primeira pessoa do singular como está no texto original: היחא אשר היחא [*ehie asher ehie*].
[12] *Do diálogo e do dialógico*. São Paulo: Perspectivas, 2007.
[13] O termo "teodrama" ficou conhecido na teologia ocidental graças ao trabalho de Hans Urs von Balthasar, em particular em sua obra de cinco volumes intitulada *Theo-Drama: Theological Dramatic Theory*" (*Teodrama: teoria dramático-teológica*, em tradução livre). Uma abordagem evangélica do conceito pode ser encontrada na obra *The Drama of Doctrine* [O drama da doutrina], de Kevin Vanhoozer. Indico a série de vídeos sobre o tema disponível neste *link*: <https://www.youtube.com/watch?v=2ms01OSEzrU>. Acesso em: 5 de fev. de 2016.
[14] *The Trinitarian Faith: The Evangelical Theology of Ancient Catholic Church*. London, New York: T & T Clark, 2006, p. 253.
[15] Em particular, sua versão final, conhecida como Credo Niceno-Constantinopolitano (381 d.C.). Tendo por base o Credo Apostólico, o Credo Niceno teve sua primeira versão publicada no ano 325. É reconhecido como um credo ecumênico, por ter reunido representantes do cristianismo em vários lugares do mundo. Por ocasião de sua primeira versão, formulada na cidade de Niceia da Bitínia, 318 bispos participaram. O referido credo foi elaborado em resposta à heresia de Ário, que concebia o que ficou conhecido como *heresia ariana*. Essa interpretação errada da natureza de Cristo concebia a Palavra (Jesus) como uma semidivindade ou uma criatura divina (exaltada). Ário não concordava com a noção defendida, principalmente por Atanásio, de que as Escrituras demonstram que Jesus é coeterno com o Pai, gerado desde a eternidade e, por isso, consubstancial com o Pai — ou seja, igualmente divino, participante da mesma natureza.
[16] Louisville: WJKP, 2005.
[17] Os termos "católicos" e "catolicidade" não são utilizados aqui com referência à Igreja Católica Apostólica Romana, mas com o seu sentido original na língua grega. "Católico" quer dizer, em grego, aquilo que é "comum a todos" ou que é "universal".
[18] *Evangelicalism in Modern Britain: A History from the 1730 to the 1980s*. London, New York: Routledge, 2005.
[19] *Paixão pela verdade: a coerência intelectual do evangelicalismo*. São Paulo: Shedd Publicações, 2007, p. 20.

5. Igreja católica

As dimensões da missão

1 Avery Dulles, "Catholicity and Catholicism", *Concordia Theological Quaterly,* Abril 1986, p.81.

2 Allen, Michael e Swain, Scott R. *Reformed Catholicity: The Promise of Retrieval for Theology and Biblical Interpretation*. Grand Rapids: Baker, 2015, p. 3.

3 "Catholicity Global and Historical: Constantinople, Westminster and the Church in the Twenty-First Century", *Westminster Theological Journal.* 72, 2010, p. 43-57.

4 "Catholic and Reformed: Rediscovering a Tradition", *Pro Ecclesia*. XXIII, 2, p.140-141.

5 "Epístolas Catequéticas" (XVIII, 23). Cyril of Jerusalém and Nemesius of Emesa, ed. William Telfer, *The Library of Christian Classics, IV* (Philadelphia: The Westminster Press, 1955), p. 186. Apud Bavinck, Herman. "The Catholicity of Christianity and the Church", *Calvin Theological Journal,* 27, 1992, n. 3, p. 221.

6 "Catholicity and Catholicism", p. 81-82.

7 Idem, p. 87.

8 "The Catholicity of Christianity", p. 222.

9 Idem, p. 228-229.

10 Idem, p. 236.

11 Idem, p. 238.

12 *Sola scriptura* é o princípio segundo o qual a Bíblia tem primazia sobre a tradição da Igreja quando os princípios doutrinários entre as duas entrarem em conflito. É um dos pontos principais firmados pelos reformadores.

6. Igreja apostólica

As raízes do Corpo

1 Daniel Gardner, *Você é um gnóstico evangélico?* Disponível em: <http://daniel.gardner.nom.br/2015/12/28/voce-e-um-gnostico-evangelico/>. Acesso em: 6 de jan. de 2016.

2 Robert Letham, *Catholicity Global and Historical: Constantinople, Westminster, and the Church in the Twenty-First Century.* Westminster Theological Journal, ed. 72, n. 1, p. 43-57.

3 *Sempre reformando ou Sempre mudando?* Disponível em: <http://tempora-mores.blogspot.com.br/2006/04/sempre-reformando-ou-sempr_114616276237762560.html>. Acesso em: 6 de jan. de 2016.

4 *Igreja centrada: desenvolvendo em sua cidade um ministério equilibrado e centrado no evangelho.* São Paulo: Vida Nova, 2014, p. 24.

[5] *A tradição cristã: uma história do desenvolvimento da doutrina*. São Paulo: Vida Nova, 2014, p. 32.
[6] James K. A. Smith, *Letters to a Young Calvinist: An Invitation to the Reformed Tradition*. Ada, MI: Brazos Press, 2010.
[7] Kevin DeYoung e Ted Kluck, *Por que amamos a igreja*. São Paulo: Mundo Cristão, 2004.
[8] *God in the Dock*, William B. Eerdmans Publishing Company, 1970, p. 61-62.
[9] Eric Metaxas, *Amazing Grace: William Wilberforce and the Heroic Campaign to End Slavery*. Harper Collins, 2007.
[10] "Is Pure Altruism Possible", *The New York Times*, 19 de out. de 2010. Disponível em: <http://opinionator.blogs.nytimes.com/2010/10/19/is-pure-altruism-possible/>. Acesso em: 6 de jan. de 2016.

7. Igreja demonstrativa
Renovando as culturas
[1] *O Deus que intervém*. São Paulo: Cultura Cristã, 2002, p. 231.
[2] Tanto Guilherme de Carvalho, com o pessoal da AKET, quanto Pedro Dulci, com o Mosaico, já se ocuparam com essa temática. Confira os livros *Cosmovisão e transformação* (Ultimato, 2006), *Fé cristã e cultura contemporânea* (Ultimato, 2009) e *Ortodoxia integral* (Sal Editora, 2014).
[3] *Apologia I*. São Paulo: Paulus, 1995, p. 83.
[4] Ryken, Leland. *Santos no mundo*. São José dos Campos: Fiel, 2013, p. 111.
[5] Idem, p. 72.
[6] "O Brasil, nação hispânica no trópico", *O Cruzeiro*, 8 de jul. de 1961, p. 21.
[7] São Paulo: Mundo Cristão, 2015, p. 23.
[8] *O Deus que intervém*. São Paulo: Cultura Cristã, 2002, p. 230-231.

Considerações finais
[1] *Calvinismo*. São Paulo: Cultura Cristã, 2003, p. 63.
[2] O *imperativo confessional*. Brasília: Monergismo, 2012, p. 33. Eu acrescentaria ao comentário de Trueman que qualquer força cultural que enfraqueça ou atenue a crença no passado como fonte de conhecimento, e mesmo de sabedoria, é também uma força que serve para minar a relevância dos vitrais, dos quadros e da arquitetura teológica.

Sobre os autores

Carlos Henrique de Paula
É pastor, *designer*, artista visual e plantador de igrejas. É pastor efetivo da Igreja Cristã Farol Esperança, em Goiânia (GO), e estudante de teologia na Faculdade Teológica Sul-Americana. É casado com Hellen e pai de Bento.

Guilherme de Carvalho
É pastor, teólogo e escritor. É diretor de L'Abri Brasil, pastor da Igreja Esperança, em Belo Horizonte (MG), e diretor de conteúdo do projeto Cristãos na Ciência. É casado com Alessandra e pai de Ana Elisa e Helena.

Guilherme Franco
É graduado em teologia pelo Seminário Presbiteriano do Norte, pastor da Igreja A Ponte, em Recife (PE), e idealizador da Conferência Oxigênio. É casado com Bruna e pai de Lucca.

Igor Miguel
É teólogo, pedagogo e mestre em língua hebraica pela FFLCH/USP. Coordenador pedagógico da Organização Multidisciplinar de Capacitação e Voluntariado (OMCV), em Belo Horizonte (MG), vice-presidente da Associação Kuyper de Estudos Transdisciplinares (AKET), articulador do movimento #IgrejaNaRua e pastor na Igreja Esperança. É casado com Juliana e pai de João.

Marcos Almeida
É cantor e compositor. Membro fundador da banda brasileira de *rock* Palavrantiga, faz parte da equipe pastoral da Missão Igreja Evangélica, em Vila Velha (ES). É casado com Débora e pai de Joaquim e Isabel.

Pedro Lucas Dulci
É pastor, filósofo, teólogo e escritor. É graduando em teologia pelo Seminário Presbiteriano Brasil Central, doutorando em filosofia pela Universidade Federal de Goiás e pastor auxiliar na Igreja Presbiteriana Bereia, em Goiânia (GO).

Rafael Balestra Cassiano
É presbítero na Igreja Sal da Terra, em Goiânia (GO). Graduado em *marketing* pela Universidade Cambury, atua como coordenador do Movimento Mosaico. É marido de Yana e pai de Victor.

Compartilhe suas impressões de leitura escrevendo para:
opiniao-do-leitor@mundocristao.com.br
Acesse nosso *site*: www.mundocristao.com.br

Equipe MC: Maurício Zágari (editor)
Heda Lopes
Fernanda Rosa
Natália Custódio
Diagramação: Assisnet Design Gráfico
Preparação: Cristina Fernandes
Revisão: Josemar de Souza Pinto
Gráfica: Imprensa da Fé
Fonte: Cambria e Karmina Sans
Papel: Chambril Avena 70 g/m² (miolo)
Cartão 250 g/m² (capa)